George Mikes · Grüße aus Jerusalem

George Mikes

Grüße aus Jerusalem

Zu Besuch in Israel

Econ Verlag · Düsseldorf · Wien

Aus dem Englischen übersetzt von
Monika und Dieter Curths
Titel der bei Andre Deutsch Ltd., London,
erschienenen Originalausgabe:
The Prophet Motive
Copyright © 1969 by George Mikes

1. Auflage 1972
Copyright © 1972 by Econ Verlag GmbH, Düsseldorf und Wien
Alle Rechte der Verbreitung in deutscher Sprache,
auch durch Film, Funk, Fernsehen, fotomechanische Wiedergabe,
Tonträger jeder Art und auszugsweisen Nachdruck,
sind vorbehalten
Gesetzt aus der 10 auf 13 Punkt Garamond der Linotype GmbH
Gesamtherstellung: Kleins Druck- und Verlagsanstalt,
Lengerich/Westf.
Printed in Germany
ISBN 3 430 16733 7

Für Eva

Inhalt

Propheten und ihre Motive

»Sie können diese Gebiete nicht alle behalten. Wie wollen sie sie verwalten?«

»Eschkol ist kein Ben Gurion«

»Golda Meir ist kein Eschkol.«

»Eban ist kein Dayan.«

»Es geht nicht nur um die Verwaltung. Diese Gebiete gehören ihnen einfach nicht!«

»Was sollen die Greuelmärchen? Mein Gott, daß sie überhaupt von jüdischen Greueltaten reden können! Glauben Sie daran?«

Als darauf keine Antwort kam: »Können sie wahr sein?«

Aufgeschnappt in dem Flugzeug zwischen Athen und Tel Aviv. Die Passagiere waren überwiegend amerikanische Touristen und Teilnehmer am bevorstehenden Zionisten-Kongreß. Welch ein Unterschied zwischen diesen leicht beunruhigten, gedämpften, halbkritischen Fragen und Bemerkungen zu der Stimmung bei meiner ersten Ankunft hier vor beinahe zwanzig Jahren. Heute waren meine Mitpassagiere von Zweifeln geplagt, damals flossen sie über vor Enthusiasmus. Als 1949 das Land Israel in Sicht kam, drängte alles auf die eine Seite des Flugzeugs, so daß es beinahe abkippte. Heute blieben wir alle sitzen und blickten liebevoll, aber befangen auf die Küste hinunter. Damals sangen sie die jüdische Nationalhymne, heute bemerkte jemand trocken: »Wir sind gleich da.« Damals küßte ein neuer Einwanderer, ein Tischler aus Glasgow, nicht nur die hübsche Stewardeß, die uns begrüßte, sondern auch gleich den Zollbeamten.

Wenige Minuten vor unserer Ankunft ertönte aus dem Lautsprecher der El-Al-Maschine die *Hora,* der jüdische Nationaltanz. Zwei Amerikanerinnen – man hörte ihnen den mittleren Westen an – summten leise mit. Als wir aufsetzten, applaudierten ein paar Leute. Die Franzosen pflegen bei einer besonders weichen Landung zu applaudieren, aber diesen Passagieren ging es nicht um die Flugkünste des Piloten. Sie begrüßten den Augenblick der Ankunft auf israelischem Boden. Aber mit dem Applaus war es diesmal so eine Sache, man war sich nicht ganz sicher.

Warum? Was war zwischen meinen Reisen geschehen? Ich kannte einen Teil der Antwort schon vor dieser Reise. Nach meiner ersten Reise hatte ich ein kleines Buch über Israel veröffentlicht – *Milk and Honey.* Heute, zwei Jahrzehnte später, verhielt es sich mit diesem Buch wie mit der Bibel – es las sich noch ganz gut, war aber entschieden überholt. Einige Freunde hatten gemeint, ich solle das Buch aktualisieren, aber mein Verleger und ich waren uns einig, daß sich die Verhältnisse in Israel so sehr geändert hatten, daß es einfacher und besser wäre, ein völlig neues Buch zu schreiben. Deshalb diese Reise.

Bei meinem Besuch in Israel 1957, kurz nach dem Suez-

Krieg, waren mir viele Veränderungen aufgefallen, und die Zeitungen hatten mich über andere informiert. Der Ulk Israel hörte in den ersten zwei Jahrzehnten seines Bestehens auf und wurde mehr und mehr ein normales Land. Während meines Besuchs im Jahre 1949 wurde die erste Eisenbahnlinie zwischen Haifa und Tel Aviv eröffnet, und ich hörte mindestens zweihundertmal die scherzhafte Bemerkung, daß dies seit 2000 Jahren das erste Mal sei, daß ein Jude wieder eine Lokomotive führe. Der Mann, der schließlich nach diesen zwei Millenien die Lokomotive fuhr, könnte ein umgeschulter Gynäkologe gewesen sein; der Ober, der damals im Restaurant bediente, könnte früher ein Kommissionär für Kunstseide oder Rechtsanwalt gewesen sein; der Kerl, der den Bus fuhr, war früher vielleicht Major in der polnischen Armee. Aber dies hatte sich bis 1957 alles geändert, und nur noch wenige Leute amüsierten sich über einen jüdischen Lokomotivführer. Dies war ein jüdischer Staat, warum sollte also der Lokomotivführer ein Sieben-Tage-Adventist sein? Zu dieser Zeit sah man in einem Ober nichts anderes als einen Ober; der Busfahrer war eben ein Busfahrer, und die Gynäkologen hatten sicherlich von den Lokomotiven zu den Frauen zurückgefunden.

Dies waren jedoch langsame und natürliche Veränderungen. Die fundamentalsten und dramatischsten Veränderungen geschahen später, unmittelbar nach dem Sechs-Tage-Krieg. Vor diesem Konflikt war Israel ein winziges Land mit zweieinhalb Millionen Einwohnern, das von seinen hundert Millionen arabischen Nachbarn ausgerottet zu werden drohte. In einer einzigen Woche verwandelte sich Israel in eine Großmacht, dicht vor der Gründung eines Empires. Israel wurde ein riesiges Militärlager von zweieinhalb Millionen Militaristen, die ihre hundert Millionen unschuldiger, friedfertiger und schutzloser Nachbarn mit militärischer Besetzung oder Schlimmerem bedrohten. Diese erstaunliche Metamorphose war an dem verkrampften Verhalten meiner Mitreisenden und an der spürbaren Melancholie meines Nebenmanns, eines Staatsanwalts aus Atlanta/Georgia, schuld.

»Es braucht Sie nicht zu überraschen«, sagte am Abend meiner Ankunft ein alter Freund, »der Welt paßt das Bild vom heroischen Juden nicht. Aber zum Teufel mit der Welt. Wir *sind* und wollen kämpferische Juden bleiben, imstande, für uns selbst geradezustehen und für unser Leben zu kämpfen, wenn wir müssen. Die Welt sieht uns lieber als Hausierer; sie toleriert uns als erfolgreiche Bankiers und sogar als berühmte Pianisten; nur militärische Siege erringen, das sollen wir Juden nicht.«

»Sie mögen recht haben«, sagte ich ihm, »aber das erklärt noch nicht, warum ihr alles von der Kunst der Propaganda vergeßt. Warum laßt ihr die Leute im Glauben, daß ihr böswillig eine Schar friedlicher Araber überfallen habt, die nur ihre Felder bestellen und ihren eigenen Geschäften nachgehen wollten?«

»Wir kümmern uns nicht um die Welt«, sagte er. »Vor dem Juni 1967 sympathisierte jeder mit uns. Sie beobachteten den heraufziehenden Völkermord mit tiefer

Anteilnahme im Herzen und Tränen in den Augen. Sie waren bereit, für die 3000 überlebenden jüdischen Kinder warme Kleidung zu schicken. Aber wir verzichteten aus zwei Gründen auf ihre Großzügigkeit. Erstens ist Israel ein warmes Land, und niemand braucht hier warme Kleidung. Zweitens schlagen wir die Araber. Nach alledem ist es uns wirklich gleichgültig, ob sich die Welt moralisch entrüstet und sich nicht entblödet, uns Aggressoren zu heißen. Unsere Aggression war die des Ochsen, der sich weigerte, ins Schlachthaus zu gehen. Ob es der Welt nun paßt oder nicht, wir sind ein Land der Krieger geworden, und mit dem Land der Hausierer und Propheten ist es vorbei.«

Das waren bittere Worte, und er stand mit seinen Ansichten nicht allein. Aber für die allgemeine Stimmung des Landes waren sie nicht repräsentativ. Die meisten Israelis wissen, daß sie in der Stunde der Prüfung nicht wirklich allein standen und daß ein kleines Land mächtige Verbündete verzweifelt nötig hat. Daneben fand ich aber auch, daß die Propheten Israels noch nicht ganz untergegangen sind. Das prophetische Motiv stirbt schwer. Dieser Krieg verwandelte die Israelis nicht nur in eine kriegerische Rasse, sondern wieder einmal wurde Israel ein Land der Propheten. Ich hörte die Geschichte eines reichen Afghanen namens Daniel, der vor mehr als einem halben Jahrhundert alle seine Freunde und Landsleute erstaunte, als er seine Güter und alle anderen Besitztümer aufgab und mit seinen Eltern, seiner Frau und seinen kleinen Kindern nach Palästina zog. »Wir sollten in dem jüdischen Staat leben«, erklärte er. »Was für einen jüdischen Staat?« fragte ihn sein bester Freund. Sein Erstaunen mag verständlich sein, wie denn kommt dieser Mann einige Jahre vor der Balfour-Deklaration auf Palästina? Aber er sagte ihnen: »Wir sind Juden, und wir werden unser eigenes Land haben.« Er kam, ließ sich nieder und begann in der neuen Heimat ein neues Vermögen zu machen. Einige Jahre später starben seine Eltern, und er ließ sie – einer alten Tradition folgend – auf dem Ölberg begraben. Einige Jahrzehnte verstrichen, er wurde selbst ein alter Mann und wurde Ende 1966 schwer krank. Derselbe alte Freund, der seinerzeit in Afghanistan Zweifel über den jüdischen Staat hegte, aber dennoch mit ihm ins Gelobte Land eingewandert war, erinnerte ihn zartfühlend daran, daß er für sich selbst eine Grabstätte kaufen sollte. »Aber wir haben eine Grabstätte«, informierte der alte Daniel seinen Freund.

»Wo?«

»Auf dem Ölberg natürlich, wo meine Eltern begraben sind.«

»Aber der gehört zu Jordanien.«

»Heute gehört er zu Jordanien. Aber wenn ich sterben werde, wird der Ölberg uns gehören, und ich werde dort begraben sein.«

»Daniel«, sagte sein alter Freund, »du bist ein guter und ein kluger Mann. Aber du bist verrückt.«

Daniel starb Ende Juni 1967. Er war der erste Jude, der nach fast 20 Jahren wieder auf dem Ölberg begraben wurde. Der Araber, der sein Grab aushob, war der

Enkel des Mannes, der das Grab seiner Eltern gegraben hatte.

Eines Morgens, bald nach meiner Ankunft, traf ich den Staatsanwalt aus Atlanta/Georgia in unserer Hotelhalle. Er kam auf mich zu und sagte: »Ich hörte einen Witz, der mich beunruhigt.«

»Dann wird es wohl kein sehr guter Witz gewesen sein«, antwortete ich.

»Es ist ein guter Witz, aber er beunruhigt mich, und zwar deshalb, weil man ihn hier immer wieder hört.«

»Dann lassen Sie mal hören.«

»Zwei Juden, die berühmten Cohn und Green, haben sich jahrelang nicht gesehen. Nun treffen sie sich plötzlich auf hoher See im Mittelmeer: Cohn – zweifellos ein neuer Einwanderer – steht auf dem Deck des einen Schiffes, das nach Israel fährt, und Green, der Israel verläßt, steht an Deck des anderen. Sie erkennen einander mit Erstaunen und rufen sich dann gleichzeitig zu:

›Bist du meschugge? . . . Bist du verrückt?‹«

Der Staatsanwalt hielt inne und sah mich ernsthaft an.

»Wer hatte recht?« fragte er mich.

»Ich glaube Cohn«, antwortete ich. »Aber ich bin nicht sicher. Sehen Sie, die einzige Absicht meines Israel-Besuches besteht darin, die Antwort auf Ihre Frage zu finden.«

Wenn es den geneigten Leser interessiert, wer von beiden, ob Cohn oder Green, *meschugge* war, sollte er weiterlesen.

Jüdisches Understatement

In Lydda hat sich nicht viel geändert, nur daß es jetzt Lod heißt. Der Flughafen von Tel Aviv ist immer noch der einzige Flughafen in der Welt, auf dem jeder Passagier von zehn Verwandten abgeholt wird.

Ich fragte mich, ob sich die Israelis in einer wichtigen Hinsicht geändert hatten. Sind sie eine Spur bescheidener geworden, oder bewundern sie sich immer noch selbst? Ich weiß, ihre Errungenschaften waren beträchtlich, aber die Bewunderung ihrer Leistung war gewöhnlich noch größer. Es war keine leere Geste, wenn sie sich selber auf den Rücken klopften. Ihre Augen leuchteten auf, wann immer dieses Thema berührt wurde: Israel. Ihre Bewunderung war nicht aufgesetzt, sie war kein Getue, sie liebten und verehrten sich aufrichtig. Es war für keinen Besucher nötig – soweit ich mich erinnerte –, über das Land kleine Höflichkeiten von sich zu geben. Seine Gastgeber besorgten dies allein. Ich erinnerte mich, daß kurz vor meinem letzten Besuch vor zehn Jahren die neue Konzerthalle gebaut worden war. Dutzende, nein, Hunderte von Leuten fragten mich: »Haben Sie die neue Konzerthalle gesehen? Sie ist die schönste der Welt.« Ich antwortete stets, daß ich sie noch nicht gesehen hätte, worauf sie mir anboten, mich unverzüglich dort hinzubringen. Obwohl ich an der neuen Konzerthalle interessiert war, widerstand ich allen Versuchungen. Es war meine größte und stolzeste Leistung in Israel, daß ich es fertigbrachte, die neue Konzerthalle (die schönste der Welt) nicht zu sehen.

Meine Begleiterin auf der jetzigen Reise, dieses israelischen Brauchs unkundig, trat wenige Minuten nach unserer Ankunft ins Fettnäpfchen. Ihr gefiel Tel Aviv auf den ersten Blick, aber sie sah es so wie es war. Als wir mit dem Paar, das uns am Flughafen abholte, in die Stadt fuhren, fing sie an: »Eine häßliche Stadt wie Tel Aviv...«

»Was sagen Sie da?« fragte der Mann, der den Wagen fuhr.

Meine Freundin ist kein Feigling. Gewöhnlich bleibt sie bei ihren Ansichten, auch wenn sie unpopulär sind. Sie stand oft mit ihrer Meinung allein, hat diese aber immer tapfer verteidigt. Aber diesmal war eine solche Haltung unmöglich. Dieses »Was sagen Sie da?« drückte eine derartige Mischung von Erschrecken, gequälter Überraschung und völliger Verständnislosigkeit aus, daß es geradezu unverschämt gewesen wäre, an Unmenschlichkeit grenzend, freundliche Menschen, die uns einen Gefallen taten, anzugreifen.

»Ich meine damit, daß Tel Avivs Schönheit nicht ins Auge springt. Nicht, daß sie verborgen ist, natürlich nicht... aber wie soll ich es sagen... sie ist sehr eigen... Es ist keine Postkartenschönheit, es ist wirklich einzigartig.«

Ihre Erklärung wurde dankbar angenommen. Natürlich,

wenn sie mit der Behauptung, daß Tel Aviv eine häßliche Stadt sei, sagen wollte, seine Schönheit wäre einzigartig, dann war das etwas anderes.

Wir erreichten die City, und der Fahrer zeigte mir ein Gebäude: »Haben Sie die neue Konzerthalle gesehen? Sie ist die schönste auf der Welt.«

Mir wurde warm uns Herz. Ich war heimgekommen.

Mit dieser Veranlagung zur Prahlerei ist es erstaunlich, daß sich wenige Leute an der Niederlage der Araber ergötzen. Die Israelis sind froh, daß sie gewonnen haben – anderenfalls wären sie tot. Sie sind stolz auf ihren Sieg und dankbar gegenüber ihren Soldaten, aber sie sind keine kriegliebende Nation und lachen nicht über die Araber. Wir werden später sehen, daß die Weigerung der Araber, sich zu Friedensverhandlungen mit den Israelis zusammenzusetzen, eine Verhärtung der israelischen Haltung verursacht und die rechtsgerichteten Elemente im Lande (keinen Fußbreit Boden aufgeben) stärkt, aber das ist weder ein Auskosten des Sieges noch Großsprecherei. Die dümmste Bemerkung, die ich hörte, richtete sich tatsächlich nicht gegen die Araber, sondern gegen die Briten: »Die Briten hassen uns jetzt, weil sie uns beneiden. Sie haben ein Empire verloren, und wir haben eins gegründet.«

Ich schrieb in meinem früheren Buch und habe keinen Grund, meine Feststellung zurückzunehmen, daß der berühmte jüdische Sinn für Humor in der Umwandlung zum Staat Israel verlorengegangen ist. Die einfache

Wahrheit ist, daß alle Israelis Juden sind, Israel aber kein jüdisches Land. Israel ist ein neuer unabhängiger Staat mit wachsendem Selbstvertrauen und einem neu gewonnenen Nationalgefühl. Der israelische Sinn für Humor erinnert mehr an den Humor von Ghana, Zambia oder Obervolta – keiner von ihnen ist besonders bekannt – als an den berühmten, weisen, selbstironischen, warmherzigen und brüderlichen Sinn für Humor des mitteleuropäischen Judentums.

Das überrascht nicht. Der berühmte jüdische Humor war ein Verteidigungsmechanismus. Russische Juden wurden unterdrückt, herumgestoßen und verfolgt; ihre einzige Waffe war, ihre Peiniger – den Muschik, den kleinen Bürokraten, den unverschämten Armeeoffizier – so zu sehen, wie sie waren: dumm, eingebildet, eitel, ungebildet und korrupt. Sie mußten sie verlachen, um zu überleben. Aber um in der neuen Umgebung Israels zu überleben, braucht man andere Fähigkeiten. In Rußland und später in Mitteleuropa hatten sie es gelernt, über sich selbst auf eine halb entschuldigende Art zu lachen. Aber in Israel braucht man sich nicht für seine Existenz zu entschuldigen. Die alten Juden in Mitteleuropa hatten immer das Gefühl, sich für ihre Existenz rechtfertigen und für ihr Leben entschuldigen zu müssen. Die Israelis glauben fest, daß sie soviel Lebensrechte haben wie alle anderen auch. Der berühmte jüdische Witz ist ein Gelächter der Minderheit, aber in Israel sind die Juden nicht mehr in der Minderheit. Die meisten jüdischen Witze pflegten mit der unsterblichen Formulierung zu beginnen: »Zwei Juden

fuhren in einem Zug . . .« Sobald alle Reisende in allen
Zügen Juden sind, stirbt der alte jüdische Witz eines na-
türlichen Todes.

Mit der Neigung, sich selber furchtbar ernst zu nehmen,
wächst die Empfindlichkeit. Ich hätte es besser wissen
müssen, wieweit die israelische Selbstkritik reicht, aber
dennoch machte ich schwere Fehler. Zwischen Tel Aviv
und Jerusalem besteht eine ebenso heftige Rivalität wie
zwischen Rom und Florenz oder zwischen Köln und
Düsseldorf. Der Mensch hat im allgemeinen die Neigung
(abgesehen von einer kleinen Minderheit) zu glauben,
daß der einzige Platz zum Leben der Ort sei, an dem
man gerade lebt. Dies trifft besonders auf Jerusalem und
Tel Aviv zu. Ein glühender Lokalpatriot aus Jerusalem
erklärte mir des langen und breiten, wie laut und vulgär
und völlig unerträglich Tel Aviv sei. Jerusalem dagegen
war elegant und vornehm. Tel Aviv war häßlich, Jerusalem war schön. In Tel Aviv war es immer heiß, Jerusalem – zumindest nachts – war immer kühl. Und so
fort. Am Ende nickte ich, mehr um ihm einen Gefallen
zu tun, als meine wahren Gefühle auszudrücken: »Ja,
wenn ich in Israel leben würde, zöge ich sicherlich nach
Jerusalem.«
Er blickte mich mit feurigen Augen an und donnerte:
»Wieso, was paßt Ihnen nicht an Tel Aviv?«
Ich hatte einmal einen Streit, unterbrochen von Schmerz-
und Überraschungsschreien, himmelwärts gerichteten
Blicken, höhnischer Toleranz und schmallippiger Leidens-

miene, lediglich weil ich behauptet hatte, daß die französische Riviera verdientermaßen populärer und tatsächlich schöner sei als Tiberias. Ähnliche Beispiele gibt es viele. Diese irgendwie kindliche Liebe der Israelis, sich mit allem, was israelisch ist, zu brüsten und es zu loben, kollidiert offensichtlich häufig mit ähnlichen amerikanischen Tendenzen. Ein Freund von mir, ein erfolgreicher Schriftsteller, Dramatiker und Filmproduzent, der, wie ich glaube, als ziemlich reicher Mann sogar in Amerika etwas zählt, aber auch ein ebenso glühender israelischer Patriot ist, besuchte die Vereinigten Staaten, wo ihn ein amerikanischer Geschäftsmann väterlich bei einem trokkenen Martini fragte: »Warum um alles in der Welt gehen Sie dorthin zurück? Was können Sie dort tun? Warum lassen Sie sich nicht in Amerika nieder?«

Mein Freund antwortete ihm kühl: »Mein Herz zieht mich nach Amerika, aber was kann ich machen? Das große Geld liegt in Israel.«

»Unser Humor ist in Wirklichkeit britisch«, sagte mir ein junger Mann.

»Unsere eigentliche Ausdrucksform ist das Understatement.«

Ich traute kaum meinen Ohren.

»Understatement?« antwortete ich ungläubig.

Er nickte.

»Aber wieso das?« fragte ich ihn. »Vor fünf Minuten, als Sie über Israel sprachen, gebrauchten Sie die Adjektive

wundervoll, unnachahmlich, bewundernswert, hervor-
ragend und konkurrenzlos.«
Er schaute mich erstaunt an.
»Immer noch eine Untertreibung«, sagte er kalt.

Vae Victoribus!

Wehe den Siegern! Die Intensität der israelischen Selbstbewunderung blieb unverändert, dagegen aber fast alles andere nicht. Israel hat eine traumatische und später eine aufschlußreiche Erfahrung hinter sich. Diese beiden Ereignisse haben sein Äußeres in den meisten Dingen verändert. Ich meine nicht den Sechs-Tage-Krieg, diesen schnellen und dramatischen Feldzug. Das Vorher und das Nachher waren psychologisch wichtiger als der eigentliche Krieg. Die vierzehn Tage vor dem Krieg waren erschreckender als der Feldzug: Nasser forderte den Abzug der UN-Friedenstruppen. U Thant, in einer der dümmsten Aktionen der UNO (die reich an solchen Aktionen ist), ließ sich zwingen. Als der Augenblick gekommen war, an dem die UN-Truppen ihre wirkliche Aufgabe (für die sie in erster Linie entsandt waren) erfüllen sollten, packten sie ihre Sachen und zogen ab. »Wenn Sie glauben, daß mein Friedens-Korps den Frieden bewahren soll«, ließ U Thant durchblicken, »dann ist das ein schwerer Irrtum.« Nasser schloß die Straße von Tiran. Arabische Truppen marschierten an Israels Grenzen auf. Arabische Rundfunkstationen und Zeitungen geiferten, sprachen von Vernichtung und kündigten – mit kaum verhohlener Freude – Massaker an. Gleichzeitig wurden sie von den

Russen aufgehetzt. Der Rest der Welt, überwältigt von echter Sympathie, bereitete sich vor, Tränen zu vergießen, schrieb mißbilligende Briefe an *Times* und *Bild* und schickte den überlebenden jüdischen Kindern Spielzeug. (So wie sie Spielzeug an die überlebenden Kinder der walisischen Grubenstadt Aberfan geschickt hatte, in der eine Abraumhalde die Schule verschüttet hatte. Bedauerlich war nur, daß in Aberfan kaum ein Kind überlebte.)

Dann kam der Todeskuß. Er war fataler als irgendeiner von Kleopatra, teurer als ein Kuß von Madame Pompadour und gefährlicher als irgendein Kuß von Mata Hari. Höchstens der Judaskuß war ähnlich bedeutend; nur er hatte noch weitreichendere Folgen. Ich meine den Kuß, den sich König Hussein von Jordanien und Präsident Nasser gaben. Die Werbung, die zu dieser leidenschaftlichen Szene führte, war ziemlich einseitig, da Nasser weiterhin wiederholte, was er von Hussein halte, dieser aber diskret schwieg. Der romantische Dialog könnte etwa so abgelaufen sein:

NASSER: Er (Hussein) regiert Jordanien wie ein Diktator ... Der König von Jordanien ... betrügt sein Volk ... verneigt sich vor dem Imperialismus und öffnet diesem sein Land.

HUSSEIN: (lächelt scheu)

NASSER: Der König von Jordanien ist ein Agent des Kolonialismus.

HUSSEIN: (faßt sich ans Ohr) Sagte irgend jemand irgend etwas?

NASSER: König Hussein begann letztes Jahr mit dem Schwanz zu wedeln ... Der Grund war, daß er ein paar Piaster von König Feisal haben wollte.

HUSSEIN: (Blickt in die andere Richtung)

NASSER: Die Herrscher von Jordanien sind zu ihren früheren Methoden zurückgekehrt: Räuber, Betrüger, Agenten des Imperialismus.

HUSSEIN: (lächelt, wirkt etwas befangen)

NASSER: Verräter bleibt Verräter, und wer sich einmal verkauft, wird bereit sein, sich noch einmal zu verkaufen. Das paßt auf König Hussein. Der König hat sich an die Imperialisten verkauft und zieht mit ihnen an einem Strang. Wir können ihm unmöglich trauen.

HUSSEIN: Ich liebe dich Abdul (sie fallen sich in die Arme und küssen einander leidenschaftlich).

(Alle Zitate stammen aus ägyptischen Rundfunksendungen.)

Nach Kriegsausbruch und *nach* der Zerstörung aller arabischen Luftstreitkräfte griff Hussein Israel an. So ruinierte er Jordanien, rettete aber sich selber. Er konnte die arabische Niederlage überleben und tat es auch, aber die Folgen für sein Land waren entsetzlich. Er hätte niemals einen arabischen Sieg überleben können, an dem teilzunehmen er versäumt hätte.

Nach dem Krieg konnte Israel wieder aufatmen. Man erwartete Lob und Bewunderung, Händeschütteln und Gratulationen. Man erwartete sogar die widerwillige Bewunderung der Russen. Aber Wärme und Lobeshymnen blieben aus. Tatsächlich hörten und lasen wir bald nach dem Krieg von israelischen Greueltaten, niedergebrannten und gesprengten Häusern, dem Erdboden gleichgemachten Dörfern und vom heroischen Kampf der El Fatah. Wir sahen unzählige Bilder arabischer Flüchtlinge (die natürlich Mitgefühl verdienten). Die Welt war verwirrt, noch mehr aber Israel.

Nasser beklagte sich, daß die israelischen Flugzeuge aus Westen angegriffen hatten, während er und sein Generalstab fest darauf vertraut hatten, daß sie aus dem Osten oder schlimmstenfalls aus Norden angreifen würden. Dieser Akt war nicht mit den Regeln des berühmten imperialistischen Spiels vereinbar; mit anderen Worten, es war kein Kricket. Einige militärische Kommentatoren (einschließlich gewisser englischer) beschuldigten die Israelis, sie hätten »ihre wahre Stärke verschleiert«. Das hieß: Hätte dieser arme Nasser gewußt, daß er statt auf einen leichten Sieg auf eine schnelle und beschämende Niederlage zusteuern würde, so hätte er nicht angegriffen; er war jüdischer Hinterlist und Tücke erlegen. Israel bekam in der ganzen Welt eine schlechte Presse, und sogar in den israelfreundlichsten Kreisen schüttelte man den Kopf; sogar von europäischen und amerikanischen Juden hörte man antisemitische Äußerungen. Langsam dämmerte es den Israelis, was es hieß, einmal der Unterlegene und ein andermal der mächtige Sieger zu sein. Plötzlich entstand die Geschichte vom riesigen, ruchlosen David, der den armen kleinen unschuldigen und hilflosen Goliath einschüchtert.

Israel brachte die Welt auch um die Chance, Tränen echten Mitgefühls über seine Zerstörung zu vergießen. Das nimmt die Welt übel; sie liebt noble Gefühle. Ein israelischer Politiker bemerkte lakonisch: »Wir gewinnen den Krieg und verlieren ihre Sympathie. Das ist schade, aber wir haben es jedenfalls lieber so.« Ein Zeitungsredakteur hatte eine andere Idee: »Nach dem Zweiten Weltkrieg überschwemmte eine Welle des Philosemitismus die Welt. Wir Juden hatten zuviel erlitten, und jeder bedauerte uns. Aber dies ist ein unnatürlicher Zustand; jetzt kann die Welt erlöst aufatmen. Die Ära des Philosemitismus ist vorbei. Wir haben diesen Krieg gewonnen, und der Welt steht es frei, uns wieder nicht zu mögen.«

Während die Araber Millionen für Propaganda ausgeben, haben sich die Israelis entschlossen, von jeglicher Provokation abzusehen. Die Sieger baten demütig um Frieden. Der besiegte Gegner wandte sich höhnisch ab. Die Expansionisten in Israel waren erleichtert: kein Friede, kein Rückzug aus den besetzten Territorien. Die Araber verlangen immer noch von ihren Bezwingern die bedingungslose Kapitulation. Israel hat schließlich verstanden: *Vae Victoribus!* Wehe den Siegern!

Der Sechs-Tage-Krieg war leicht; es ist der siebente Tag, der so sehr schwer ist. Israel muß mit diesem Gedanken leben. Vorderhand muß Israel die Rolle der skrupellosen imperialistischen Macht weiterspielen, und Hussein ist derjenige, der in der nächsten Zeit das alte jüdische Gebet wiederholen muß: »Nächstes Jahr in Jerusalem!«

Reich oder arm?

»Ist das Land reich oder arm?« fragte ich einen der israelischen Wirtschaftsexperten.

»Das kommt darauf an«, antwortete er gedankenvoll.

»Worauf?«

»Es kommt darauf an, ob wir für den Einheimischen oder für den Ausländer sprechen. Der Binnenmarkt ist ziemlich schlecht und braucht Unterstützung; unsere Leute müssen wir ständig auf eine Steuererhöhung vorbereiten. Nach außen hin ist unsere Situation rosig, weil wir Investitionen ausländischer Anleger benötigen.«

»Es muß doch so etwas wie Realitäten geben«, schlug ich vor.

»Die gibt es nicht«, schüttelte der israelitische Wirtschaftsexperte entschieden den Kopf. »Nicht in unserer Wirtschaft.«

»Unser Lebensstandard«, fuhr er fort, »hat den Stand der ärmeren westeuropäischen Länder erreicht. Es geht uns nicht so gut wie der Schweiz, Holland oder Schweden, aber wir haben den Standard von Österreich, Italien oder der ärmeren Teile Frankreichs erreicht.«

Er fügte kläglich hinzu: »In wenigen Wochen werden wir das Fernsehen einführen. Dann werden wir, höchst unglücklicherweise, alles haben, wovon ein modernes

Land träumen kann. Die Wahrheit ist, daß sich unser
Lebensstandard seit 1949 verdreifacht hat.«

Das leuchtete mir, der tatsächlich in jenem Jahr Israel
besucht hatte, ein. England war damals das Land der
Sparmaßnahmen, während Israel die *Tsena* hatte, was
dasselbe auf hebräisch ist. Beide sind heute vergessen,
jedoch besteht eine engere Parallele zwischen der englischen und israelischen Wirtschaft. Beide Länder kämpfen mit dem Ausgleich der Zahlungsbilanz und gegen eine
schleichende Inflation, mit der übertriebenen Macht der
Gewerkschaften in einer kapitalistischen Gesellschaft, mit
der Eigenschaft der Gewerkschaften, zu den unpassend-
sten Zeiten Druck auszuüben, mit einer wechselnden
Konjunkturlage und ebenso mit der sich daraus ergeben-
den periodischen Arbeitslosigkeit.

Es gibt für die schleichende Inflation in Israel drei Gründe: erstens ein unnatürlich hohes Verteidigungsbudget
(pro Kopf das höchste der Welt); zweitens hohe Investitionen (die keinen sofortigen Produktionsanstieg bringen); und drittens deutsche Wiedergutmachungsleistungen. Diese Wiedergutmachungsleistungen hatten zur Folge, daß zuviel Geld und zuwenig Waren im Lande waren.
Dieses letzte Problem wurde bis jetzt mehr oder weniger
gelöst, indem man den deutschen Geldern, die tatsächlich
ins Land flossen, Beschränkungen auferlegte.

Israel wird immer industrialisierter – 45 Prozent der Bevölkerung arbeiten in der Industrie –, aber, so erzählte
mein Freund, es müßten neue Industrien eingeführt oder
entwickelt werden.

»Jeder weiß heute, wie man Textilien, Plastikbecher und Schuhe produziert«, sagte er. »Die meisten rückständigen Länder können das heute. Wir brauchen die elektronische Industrie, Metallurgie, Chemie, Auto- und Luftfahrtindustrie. Wir können unsere Verteidigungsausgaben nicht kürzen. Deshalb müssen wir Waffen produzieren, und wenn wir sie produzieren, können wir sie genausogut an andere verkaufen.«

Der wachsende Lebensstandard heißt nicht, daß es leicht ist, in Israel zu leben. Die Leute müssen hart arbeiten, häufig an zwei Arbeitsstellen; und nahezu alle Frauen sind berufstätig. Autos sind extrem teuer, doch immer mehr Leute können sich eins leisten. Die Waschmaschinen-Ära hat begonnen. Dem Fernsehen widerstand Israel tapfer eine lange Zeit, mußte dann aber aus politischen Gründen nachgeben. Jordanien, Ägypten und der Libanon haben alle Fernsehstationen. Und die gesamte arabische Bevölkerung, israelische und die neu hinzugekommenen Araber, sehen die Programme dieser Stationen. Das ist gestattet, niemand hat sie jemals daran gehindert. Man kann israelische Offiziere in arabischen Restaurants auf dem westlichen Ufer beim Essen sehen, während die arabischen Besitzer und Gäste im Fernsehen König Husseins Rückkehr von einer seiner zahlreichen Auslandsbesuche beobachten. Hussein verkündet seinem Volk, daß seine Reise ein großer Erfolg gewesen sei, die Stunde der Rache nahe sei und Israel von der Landkarte ausgelöscht werden würde. Die arabischen Massen in Jordanien jubeln. Die Araber in dem Restaurant hören still zu mit undurchdringlichen Gesichtern, aber mit einer Miene, die deutlich sagt: »Das haben wir alles schon einmal gehört.« Die israelischen Offiziere, die jedes Wort verstehen, zahlen ihre Rechnungen und verschwinden ungerührt. Dennoch hielt es die israelische Regierung für klug, dieser Progaganda entgegenzuwirken und den Arabern eine andere Fernsehkost zu bieten.

Aber nicht nur die Araber sehen die jordanischen, ägyptischen und libanesischen Programme, auch amerikanische Touristen verfolgen sie. Das Sitzen vor dem Fernsehapparat scheint zwanghaft zu sein. In einem Kibbuz, der auch ein Hotel betreibt, beobachtete ich etwa zwei Dutzend amerikanischer Touristen vor einer heiteren Show aus Beirut. Ein fetter Araber, einen türkischen Fez auf dem Kopf, riß pausenlos Witze à la Bob Hope oder Groucho Marx. Das libanesische Studiopublikum lachte sich halb tot, und die Amerikaner im Kibbuz grölten mit. All das bestärkte einen alten Verdacht in mir: Wenn man ein TV-Programm nicht versteht, bleibt einem nichts anderes übrig, als es zu genießen, und wenn man es versteht – nun, das ist eine andere Sache.

Israel kommt ganz gut längs, und da es klein und nicht zu reich ist, hat es die Möglichkeit, Entwicklungsländer in Asien und Afrika zu unterstützen. Diese Aktivität hängt mit Israels geographischer Mobilität zusammen – ein völlig neuer Begriff. Manchmal ist Israel ein europäisches Land im Nahen Osten; bei anderer Gelegenheit ist es ein mediterranes Land und hat nichts mit Europa zu tun; dann wieder ist es Teil des Nahen Ostens. »Was ich an

Israel mag«, sagte mir ein afrikanischer Diplomat, der
an Israels Entwicklungshilfe dachte, »ist, daß es seine
asiatische Bestimmung akzeptiert.«

»Ganz recht«, stimmte ich zu.

Israel besitzt eine sozialistische Regierung und eine kapi-
talistische Wirtschaft – nichts Ungewöhnliches in unserer
modernen Welt. Ich beklagte mich darüber bei einem
Freund, es sei traurig anzusehen, wie auch hier Hersteller
schlechter und nutzloser Waren reich würden und
– schlimmer noch – wie Grundstücksspekulanten fürs
Nichtstun Geld scheffelten.

»Das ist in Israel noch schlimmer als anderswo«, antwortete mein Freund. »Hier werden die Spekulanten
reich wie überall. Aber, sehen Sie, dies hier ist das
Heilige Land. Und hier steigt nicht nur der Wert und
der Preis des Landes, sondern ebenso – hol's der Teufel –
seine Heiligkeit. Ob Sie es glauben oder nicht, es ist heute
35 Prozent heiliger als vor zehn Jahren.«

»Ich mag die Araber, die Juden nicht«, sagte mir ein
Brite in Tel Aviv. Er nahm im britischen diplomatischen
Dienst eine hohe Position ein, und ich nahm seine Äuße-
rung als eine Manifestation jenes proarabischen und anti-
jüdischen Vorurteils, daß bekanntlich im Foreign Office
nicht ungewöhnlich ist. »Ich diente in vielen arabischen
Ländern«, fuhr er fort. »Ich würde Durchschnittsarabern
nicht trauen, ich würde ihnen kein Wort glauben. Aber ich
mag die Araber und habe etwas gegen die Juden.«

»Wo lagen Ihre Sympathien während des Sechs-Tage-Krieges?«

Er sah mich erstaunt an.

»Voll und ganz bei den Juden. Ich spreche jetzt nicht über Politik.«

Diese Feststellung schien mir zunächst befremdet und voller Vorurteile zu sein, aber bald verstand ich nur allzugut, was er meinte. Da ich in diesem Buch häufig von »Arabern« sprechen werde – und mit diesem Wort einhundert Millionen Menschen meine –, möchte ich gern einiges über meine Haltung ihnen gegenüber äußern.

Die Araber sind anziehende und liebenswerte Menschen. Sie sind durch und durch charmant, und ich meine das nicht abwertend. Ihr Charme ist ganz natürlich und wirkt völlig ungekünstelt. Wir können eine Menge von ihnen lernen, seien wir nun Israelis oder Europäer. Familienbande sind dem Araber heilig, sie verehren ihre Eltern und begegnen ihnen mit Respekt – keine schlechte Eigenschaft für ein Zeitalter, das eine verrückte Verehrung der Jugend entwickelt hat. Arabische Gastfreundschaft in einer Welt, die von Tag zu Tag gewinnsüchtiger wird, ist auch ein nobler und zivilisierter Zug.

Israelis kennen die Araber nicht. Die meisten von ihnen haben noch nie ein Wort mit einem Araber gewechselt. »Araber« sind eine entfernte – und manchmal auch nicht so entfernte – Gefahr für sie, die etwas mit abstrakter Politik, aber nichts mit dem täglichen Leben zu tun hat. Deswegen neigen viele Israelis dazu, sie als rückständige Menschen zu verachten. Wer sie kennt, hat mehr Achtung vor ihnen. Die Araber sind genauso intelligent wie die Juden. Tatsächlich gleichen sich diese beiden semitischen Völker ebenso wie die Schotten und die Engländer und sind ebenso beleidigt, wenn man auf diese Ähnlichkeit hinweist. Die Araber wurden viele Jahrhunderte von den Türken unterdrückt – was einer Nation nie allzu gut bekommt – und sind folglich auch von ihren eigenen Feudalherren auf die gemeinste Art unterdrückt, ausgebeutet und betrogen worden. Deshalb sind die Juden im Moment auch zweifellos einige Generationen weiter. Aber einige Generationen bedeuten in der Geschichte gar nichts. Beide Völker müssen einander verstehen lernen, weil sie – ob sie es wollen oder nicht – miteinander werden leben müssen.

»Der tatsächliche Ärger ist, daß die Araber völlig unglaubwürdig sind. Sie sind alle geborene Lügner. Man kann ihnen nicht trauen«, ist die übliche Erwiderung, die sogar von meinem Freund aus dem britischen diplomatischen Dienst geteilt wird, der die Araber sehr schätzt. Aber Araber hassen nicht die Wahrheit, sie haben nur eine orientalische Auffassung von der Wirklichkeit. Sie sind von Natur aus Wunschdenker und keine Lügner. Sie sehen etwas Grünes und behaupten, es sei rot – nicht weil sie jemanden irreführen wollen, sondern weil es in der Vergangenheit rot zu sein pflegte, als die Araber ein großes Volk waren, das zivilisierteste auf der Welt. Sie wünschen, es wäre noch rot, also *sehen* sie es rot, und somit *ist* es rot. Das Leben ist nicht so, wie es ist, sondern so, wie es sein sollte, wie es in jenen großen Tagen war. Die

Wirklichkeit ist *meine* Beziehung zu den Tatsachen, infolgedessen ist die Wirklichkeit ebenso von mir wie von den sogenannten Tatsachen abhängig. Diese Sicht der Dinge machte es Nasser möglich, seine Niederlage von 1956, soweit es ihn und die Araber betraf, in einen berühmten Sieg zu verwandeln, sie setzt die Araber instand, jedes Desaster als einen neuen Triumph zu sehen. Diese Philosophie führt nicht zu Reichtümern, aber sie kann glücklich machen.

Die Wüste ist endlos und gleichermaßen zeitlos. Wenn man außerstande ist, gewissen Tatsachen heute ins Gesicht zu sehen, kann man sich immer selbst überreden, daß sie sich in 300 Jahren ändern würden, da es vor 3000 Jahren auch sehr viel anders war. Was sind schon 300 Jahre oder 3000? Und wer wird uns sagen können, ob sich die Dinge in 300 Jahren tatsächlich verändert haben oder nicht? Die Araber sind ein sehr stolzes Volk, die Juden nicht. Die Juden sind pragmatisch, logisch und bestehen auf ihren Rechten, sie sind häufig arrogant, aber sie sind nicht stolz. Sie sind nüchterne, rechthaberische Realisten. Die Araber sind stolze Träumer. In gewisser Weise haben beide recht, wie auch beide Seiten in diesem tragischen Konflikt tatsächlich oft das Recht auf ihrer Seite haben. Für die Araber sind Träume Wirklichkeit, die Juden aber wissen, daß die Realitäten von heute keine Träume sind.

Die Araber lieben es, sich in Parabeln auszudrücken. Die folgende Parabel beschreibt ihre Beziehung zur Wirklichkeit gut:

Ein alter Araber sitzt am Ausgang des Dorfes, wo eine Horde lärmender Kinder spielt. Der alte Mann ruft ein Kind und fragt: »Warum vertrödelt ihr hier eure Zeit, wenn auf der anderen Seite des Dorfes umsonst Feigen verteilt werden?« Der Junge blickt ihn ungläubig an, aber er gibt diese Information an einen der älteren Jungen weiter. Nach einigem Getuschel verschwindet ein Kind nach dem anderen, bis keines mehr da ist. Es herrscht Friede: der alte Mann raucht seine *Nargileh* und genießt die Stille. Plötzlich ruft er aus: »O Allah! Was verplempere ich hier meine Zeit, wenn dort am anderen Ende des Dorfes Feigen verteilt werden?«
Er springt auf und rennt zum anderen Ende des Dorfes, um seinen Anteil an Feigen zu bekommen.

Wir wollen nun zur wirtschaftlichen Situation zurückkehren. Die arabischen Massen – Arbeiter und Bauern – sind heute besser gestellt als früher, die Lage der höheren Berufsstände und der Oberklasse aber hat sich verschlechtert. Ein Arzt konnte in Jordanien hundertmal mehr als ein einfacher, ungelernter Arbeiter verdienen (1000 : 10 t im Monat). Diese Kluft hat sich jetzt verringert. Der Arbeiter verdient heute viel mehr als früher, aber immer noch nicht genug. Der Arzt kommt noch gerade aus, obwohl sein Einkommen stark beschnitten wurde. Das Ergebnis ist, daß die höheren Klassen die Arbeiter überreden, *sie* seien unglücklich und arm dran und darüber hinaus Verräter an ihrem Vaterland und der arabischen Sache, wenn sie an der israelischen Okkupation irgend etwas Gutes fänden. Ich glaube nicht, daß die arabischen Arbeiter und Bauern die Israelis lieben oder erfreut sind, sie in ihrem Land zu haben, aber alle Arbeiter, Bauern (und Ladenbesitzer, Ärzte, Klempner, Schlachter und Aristokraten) ziehen es vor, mehr Geld zu verdienen als umgekehrt. Deshalb sehen diese armen Leute in der israelischen Besetzung einen Vorzug, obwohl sie so tun müssen, als wäre dem nicht so.

Auf dem Westufer des Jordans hört man von zwei Hauptübeln: erstens dürfen die arabischen Banken nicht wieder öffnen, und zweitens dürfen arabisches Gemüse und andere Marktprodukte – die viel billiger sind als die israelischen – in Israel und nicht einmal in Jerusalem verkauft werden.

1. Am 7. Juni 1967 ordnete der israelische Militärbefehlshaber die Schließung aller Banken auf dem Westufer an. Niemand murrte über diese Entscheidung, nicht einmal die Banken, die somit einen Sturm auf ihre Schalter vermieden, durch den sie ihren Verpflichtungen hätten nicht mehr nachkommen können. Ärgerlich findet man nur, daß die Banken immer noch geschlossen sind.

Die Zentralen der arabischen Banken liegen meistens in Amman, und zwei Länder, die miteinander im Krieg liegen, haben in der Regel kein gemeinsames Banksystem. Aber die Israelis und die Jordanier haben einen gemeinsamen Markt für landwirtschaftliche Erzeugnisse, der recht gut funktioniert, und sie haben auch eine gemeinsame Währung (das israelische Pfund ist auf dem Westufer ein ebenso legales Zahlungsmittel wie der jordanische Dinar). Amman erlaubt den arabischen Banken nicht, wieder zu eröffnen, weil Banken wirtschaftliche Macht darstellen. Sie können entscheiden, wer ein Darlehen erhalten soll und wer nicht, und die Araber befürchten, die Kontrolle über ihre Banken auf israelischem Gebiet zu verlieren. Konteninhaber können nach Jordanien hinübergehen und begrenzte Summen von ihren Konten abheben, aber das ist alles. Die englischen Banken, die auf dem Westufer des Jordan normalerweise Filialen hatten, weigerten sich ebenso (aus Furcht vor einem arabischen Boykott), wieder zu eröffnen. Sie richten sich nach ihren arabischen Partnern, wie sie sagen. Das Ergebnis ist, daß die israelischen Banken in Jerusalem und auf dem Westufer Zweigstellen eröffnet haben und gute Geschäfte machen.

2. Das Gemüse- und Obstproblem ist sogar noch einfacher. Die Araber produzieren billiger, und sie möchten ihre Produkte in Israel verkaufen. Sie können diese Produkte über Jordanien – aus feindlichem Territorium – exportieren und sie auf dem Westufer verkaufen, aber sie können sie nicht nach Jerusalem oder Israel exportieren. Die israelische Erklärung lautet so:

»Jerusalem ist ein Teil von Israel, deshalb sollte zwischen beiden kein Unterschied gemacht werden. Es wäre unmöglich, diese Produkte nach Jerusalem hereinzulassen, aber nicht nach Israel. Andererseits können wir nicht zulassen, daß die Araber unser Land mit billigen Gemüseprodukten überschwemmen.«

»Aber warum nicht?« fragen die Araber. »Erstens würde

auf diese Weise das Leben in Israel billiger, was ja eines der vorgeblichen Ziele der Regierung ist. Ebenso ist es gegenüber den Arabern besonders ungerecht, die weniger verdienen als die Israelis, aber die gleichen Steuern (damit sind indirekte Steuern gemeint) von ihren niedrigeren Einkommen zu zahlen haben.«

Als ich den arabischen Standpunkt einigen israelischen Experten vortrug, stimmten sie zu, daß hier eine gewisse Ungerechtigkeit vorlag. Ließe man aber die Produkte herein, so behaupteten sie, bedeute das den Zusammenbruch der ganzen landwirtschaftlichen Preisstruktur und würde zu größten Schwierigkeiten mit der Histadruth – der Dachgesellschaft der Gewerkschaften – führen, die für landwirtschaftliche Produkte Haupterzeuger und -verteiler ist. »Israel«, sagte einer von ihnen, »ist nicht das einzige Land, wo eine mächtige Landwirtschaftslobby unmäßigen Druck auf die Regierung ausüben kann. Haben Sie nie von so etwas gehört? Kommen Sie aus England? Oder aus Deutschland?«

Viele arabische Geschäftsleute machen tatsächlich blendende Geschäfte. Der Tourismus blüht. Fast alle Israelis waren in den neu besetzten Gebieten, und Tausende von Touristen strömen zu den alten beliebten Sehenswürdigkeiten, die bislang vernachlässigt wurden. Der Souvenirhandel floriert. Arabische Restaurants und Antiquitätenläden machen irre Geschäfte. Sofort nach dem Krieg entdeckten die Israelis, daß es in den arabischen Läden viele Waren gab, die man in Israel nicht kaufen konnte: Kugelschreiber, billige Fotoapparate, Tonbandgeräte, Feldstecher und viele andere kleine, attraktive Waren. Die Israelis schwärmten regelrecht aus und kauften, was immer ihnen unter die Finger geriet. Die arabischen Läden waren jedoch bald ausverkauft und konnten ihre Warenlager nicht aus China, Rußland und der DDR auffüllen. Große Nachfrage blieb bestehen. Deshalb fuhren die arabischen Ladenbesitzer nach Tel Aviv, kauften allen Kram auf, den sie finden konnten, und verkauften ihn zu Höchstpreisen an Besucher aus Tel Aviv, die darüber höchst erfreut waren. Dies sollte eine Lektion für Politiker sein, wie leicht man jedermann glücklich machen kann.

Das Israelische Pfund

In meinem Buch *Milk and Honey* berichtete ich, daß ich das Geldsystem des Landes etwas verwirrend fand. Ich gab einen reinen Tatsachenbericht, den ich hier in gekürzter Form wiederholen will:

»Das Israelische Pfund (I £) folgte auf das Palästinensische Pfund (P £). Ein Israelisches Pfund entspricht einem britischen Pfund Sterling.

Hauptsächlich muß man folgendes wissen: Wenn sie von einem Piaster sprechen, meinen sie einen Cent, sprechen sie von einem Shilling, sind das 50 Prutoth. Wenn ein älterer Herr von »einem Franc« spricht, meint er in Wirklichkeit 5 Prutoth, das ist eine Münze, die überhaupt nicht existiert (genau wie eine Guinea, die auch nicht existiert). Wenn derselbe ältere Herr von »einem Girsh« spricht, meint er einen Fünftel Shilling, und wenn er »einen Grush« in den Mund nimmt, dreht man völlig durch.

»Jedoch, so seltsam das alles erscheinen mag, es gibt für alles einen Schlüssel. Ein I £ unterteilt sich in 1000 Prutoth. Warum, dürfen Sie mich nicht fragen. Das ist die offizielle Entscheidung, und damit sollte es sein Bewenden haben. Aber die Israelis sind eine Nation, die etwas gegen das Offizielle hat, und Prutoth (Einzahl Pruta) werden einfach nicht erwähnt. Während der Zeit des Mandates war ein Pruta ein Zehntel Cent (ein Mill). Ein Mill wird manchmal, aber selten erwähnt. Häufig genannt wird allerdings der Piaster, der jedoch nicht existiert. Wenn er es täte, bestände er aus 10 Mill, und diese Voraussetzung ist die Grundlage des israelischen Geldsystems. Wenn das für den Leser zu einfach ist, könnte er auch in Shilling rechnen, die ebenfalls nicht existieren. Wenn der Shilling existierte, wäre sein Wert fünf Piaster, die nicht existieren, täte er es aber, wären fünf Piaster fünfzig Prutoth; doch die Prutoth werden nie erwähnt. Es ist offensichtlich, daß diese Schwierigkeiten mit Willenskraft und Beharrlichkeit gemeistert werden können. So reden ältere Leute weiterhin von Girsh, das arabische Wort für Piaster (aber der Piaster existiert nicht). Jiddisch sprechende Leute werden von einem Grusch sprechen. Das ist das allereinfachste. Grusch steht in Jiddisch einfach für Girsh, welches (zur Auffrischung Ihres Gedächtnisses) auf arabisch ein Piaster ist, der natürlich nicht existiert. Wem das nun klar ist, der muß nur noch wissen, daß ein Franc ein halbes Grusch ist, d. h. fünf Prutoth (die nie erwähnt werden), d. h. ein halbes Girsh, das nicht existiert.« Niemand stellte je die absolute Genauigkeit meiner Aufstellung in Frage. Es wurde in der Tat allgemein anerkannt, daß die ganze komplizierte Angelegenheit niemals zuvor in solcher Klarheit und Kürze dargestellt worden ist. Meine Aufstellung rief jedoch in Israel irgendwie Bestürzung hervor. Man sagte mir, daß man an der Konfusion selber nicht schuld sei.

Ich sollte bedenken, wie gut es die Briten verstehen, ein Durcheinander anzurichten. Das Kuddelmuddel des Britischen Empire folgte nur auf das Durcheinander der Ottomanischen Herrschaft, und das israelische Geldsystem wäre eine Erbschaft sowohl aus der türkischen als auch aus der britischen Zeit.

Bei meiner Rückkehr nach zwanzig Jahren fand ich das Geldsystem vollständig reformiert, aufgebaut auf einer klaren, kühlen, logischen Grundlage, des neuen israelischen Staates würdig. Der Kern des neuen Systems ist folgender:

Das neue Israelische Pfund (I £) heißt jetzt Lira, die jedoch nicht existiert. Als die Währungsreform diskutiert wurde, erinnerten sich zahlreiche sentimentale alte Leute an die biblischen Zeiten und wollten als Geldeinheit einen Scheckel haben. Dieser Vorschlag wurde vom Parlament abgelehnt, woraufhin viele Leute die Lira (die nicht existiert) einen Scheckel nannten, der ihrer Meinung nach existieren sollte. Israel sei ein freies Land, rechtfertigten sie sich.

Die kleinere Einheit ist jetzt das Agorat, welches natürlich niemals erwähnt wird, nicht einmal im Scherz. Die Leute sprechen von Prutoth, die ihre frühere Periode des Nichtexistierens überleben. Um fair zu sein: es sind meistens alte Leute, die von Prutoth sprechen; junge Leute nennen das Agorat einen Grusch, der nicht existiert, und keiner der jungen Leute kann sich an eine Zeit erinnern, in der er je existierte. Um das System zu vereinfachen, werden fünf Agorat oft als ein Shilling bezeichnet, der auch nicht existiert und der sogar in England nicht mehr lange existieren wird. (Aus demselben Geist geben alle Straßenschilder in Jerusalem – sogar die neu gemalten – die Richtung und Entfernung zum Mandelbaumtor an, das stets erwähnt wird, aber nicht existiert.)

Ich muß lediglich stets hinzufügen, daß das Israelische Pfund dem Pfund Sterling nicht mehr entspricht. Obwohl ein Britisches Pfund nach zwei Abwertungen und einer Menge Schweiß und Tränen beträchtlich weniger Sterling (Sterling = Standardwert in Gold oder Silber) hat als früher, entspricht ein Israelisches Pfund nur mehr ungefähr zwei Shilling six pence. Das ist eine halbe Krone – die Hälfte einer britischen Geldmünze, die nicht existiert. Dies ist nebenbei bemerkt eine der größten britischen Leistungen im Bereich des Kuddelmuddel: in diesem Fall machen zwei Hälften kein Ganzes, zwei Hälften machen fünf. Und das, wenn schon nichts anderes, sollte die Israelis ein wenig Bescheidenheit lehren.

Bitte nach Ihnen!

An einem Straßenstand wurde irgendeine gelbliche Flüssigkeit verkauft.

»Ein Glas Apfelsaft, bitte!«

Er füllte ein Glas und reichte es meiner Begleiterin.

»Das ist Karottensaft, der ist viel besser für Sie.«

Für mich war das höchst peinlich, weil ich gerade dabei war, meiner Begleiterin zu erzählen, daß sich die Sitten in Israel geändert hätten, und erklären wollte, warum sich dies zwangsläufig ergeben mußte. Eine Zeitlang blieb ich stumm. Wir gingen in ein Restaurant und wollten ein sogenanntes dairy-lunch (eine populäre und köstliche Mahlzeit) einnehmen, und zu unserer Freude entdeckten wir auf der Karte einen Ziegenkäse, den wir beide aus unseren mitteleuropäischen Zeiten kannten und liebten. Er war von allen Käsesorten der billigste und gewöhnlichste. Als wir ihn bestellten, schüttelte die Kellnerin den Kopf. »Der ist für Sie nicht gut genug. Sie werden etwas viel Besseres bekommen.«

Ihre Entscheidung erlaubte keinen Einspruch. Sie war eine ältliche Frau, sehr lieb, lächelnd und freundlich, und ließ offenbar ihre mütterlichen Instinkte an uns aus.

Als die Kellnerin außer Hörweite war, bemerkte ich: »Zumindest scheinen sie alle sehr besorgt um einen.«

In diesem Punkt hegte ich allerdings einige leise Zweifel. Vielleicht, dachte ich, hatte der Straßenverkäufer keinen Apfelsaft und gab uns deshalb Karottensaft. Wahrscheinlich war er weniger um meinen Vitaminhaushalt besorgt, als darum, einen Kunden zu verlieren; und möglicherweise wollte uns die Kellnerin trotz aller ihrer mütterlichen Instinkte nur etwas Teureres verkaufen. Wer kann schon in den anderen hineinschauen? Ich war jedenfalls entschlossen zu beweisen, daß sich die israelischen Manieren in den letzten zwanzig Jahren so geändert hatten, daß sie kaum mehr wiederzuerkennen waren.

»Wie war doch die Geschichte aus Ihrem früheren Buch von dem Kellner und einigen Tassen Tee?« fragte mich meine Begleiterin.

»Die gehört der Vergangenheit an. Sie ist völlig veraltet.« Ich weigerte mich, die Geschichte zu wiederholen, aber sie fand ein Exemplar von *Milk and Honey* und las die Geschichte.

»Ich saß mit sieben anderen Leuten in einem Café, und einer von uns bestellte acht Tassen Tee. Der Kellner brachte uns nach ein paar Minuten den Tee. Er stellte das Tablett ab und überließ es uns, die Gläser zu verteilen. Wir stellten fest, daß ein Glas zuviel war. Mein Gastgeber rief nach dem Kellner: ›Wir bestellten acht Gläser Tee, gebracht haben Sie uns neun.‹ Der Kellner war unbeeindruckt.

›*Nu*‹, sagte er, ›warum nicht? Ein anderer Jid wird kommen und ihn trinken.‹

Der andere Jid kam prompt und trank den Tee.«

Meine Begleiterin las die Geschichte, und ich erklärte ihr: »Diese Verhaltensweise gehört der Vergangenheit an. Sie existiert einfach nicht mehr.«

Am gleichen Nachmittag interviewten wir einen hohen Beamten, der mit mir die Probleme seiner Abteilung diskutierte und dann Erfrischungen bestellte.

»Zweifellos erinnern Sie sich an Ihre eigene Geschichte von dem Kellner und jenen Teetassen«, sagte er. »Ganz das gleiche passiert hier dreimal täglich in meinem Büro.«

Als wir gingen, sagte meine Begleiterin: »Mir war so, als hätten Sie gesagt, daß derartige Vorfälle völlig verschwunden seien.«

»Ich wollte damit sagen, daß ein *Kellner* sich heute nicht mehr so verhalten würde. Wenn die Mitglieder des Establishments untereinander kleine Scherze machen, ist das etwas völlig anderes.«

Bald danach tranken wir in einem Espresso Kaffee. Ich nahm aus meiner Tasche ein Schächtelchen mit Sacharintabletten und fragte die Dame: »Wie viele wollen Sie? Zwei oder drei?« Ich schüttelte etwas zu heftig, alle Tabletten fielen heraus und kullerten in alle Richtungen über den Tisch und auf den Boden. Der Kellner stand daneben, sah uns zu, wie wir sie einsammelten, und brüllte vor Lachen.

»Zwei oder drei? . . . Hah-hah-ha . . . Vielleicht meinten Sie zwei- oder dreihundert, ha-ha-ha.«

Meine Begleiterin rieb es mir unter die Nase. »Also sind es nicht nur die Mitglieder des Establishments, die sich derart benehmen.«

Ich gab zu, daß die Manieren dieses Kellners nicht die besten waren. Aber warum nicht? Die Leute – sagte ich – wären nicht mehr respektvoll und unterwürfig, und warum sollten sie auch? Es gibt keine großen Einkommensunterschiede, somit fühlen sich die Menschen alle gleich. Sie sind gleich. Darüber hinaus haben diese Leute gerade gemeinsam Schreckliches durchgemacht, und diese Erfahrungen haben die Kluft zwischen ihnen verringert. Es gibt vor den großen Hotels – fuhr ich fort – keine Lakaien mehr in goldbetreßten Admiralsuniformen, keinen Kellner im Frack, die an wilhelminische Diplomaten erinnern; man findet auch nicht jene Pseudo-Selbstsicherheit, die aggressiv behauptet, »man sei genauso gut wie jeder andere«, obwohl niemand daran denkt, das zu leugnen. »Der eine arbeitet in einem Restaurant als Kellner, der andere ist Richter oder General oder Minister – was soll's? Ein Mann ist immer noch ein Mann.«

Gut gesprochen und ziemlich wirkungsvoll. Aber ich wußte, daß ich geschlagen war. Die israelischen Manieren waren genauso schlecht wie zuvor. Israelis mischen sich immer noch mit Vergnügen in anderer Leute Angelegenheiten. Gott weiß alles, aber die Israelis wissen es noch besser. Sie können es nicht ertragen, im Unrecht zu sein. Macht man eine Bemerkung, wird man gleich mit einem »Na klar, na klar, na klar . . .« unterbrochen, das nichts anderes bedeutet, als daß es närrisch sei, sich noch lange über den Gegenstand zu verbreiten; oder sie schneiden einem das Wort im Munde ab mit einem »OK, OK, OK« – was auch nichts anderes bedeutet. Wenn sie einmal nicht dazwischenreden können, machen sie Gesichter, die allzu deutlich zeigen, daß sie bereits verstanden haben und daß keine Notwendigkeit besteht, sich noch weiter über den Gegenstand zu verbreiten.

Sie fassen schnell auf und ziehen genauso schnell ihre Schlußfolgerungen – nicht selten falsche. Ich ging einmal in ein Schuhgeschäft und fragte: »Haben Sie . . .«

»Ein Paar brauner Schuhe wie die im Fenster?«

»Nein. Haben Sie . . .«

»Schwarze Schuhe?«

»Nein.«

»Wildleder?«

»Nein.«

»Sandalen?«

»Was wollen Sie denn?«

»Haben Sie nicht eine Tochter mit Namen Susannah? Ich habe für sie eine Nachricht aus London.«

Mit all ihrer Ungeduld und Fixigkeit des Denkens glauben sie immer, daß der andere besonders langsam und schwer von Begriff sei. Ich fragte einmal in Haifa einen Passanten nach der Leon-Blum-Straße. Er sagte: »Die vierte rechts.« Ich dankte ihm und wollte weitergehen. Er hob die Hand, hielt mich zurück und sagte mit großer Betonung, sehr laut und sehr langsam: »Nicht die erste, nicht die zweite, nicht die dritte! Die vierte!« Ich dankte ihm noch einmal – diesmal schon etwas reserviert –, war aber immer noch nicht entlassen.

»Nicht links, sondern rechts!«

Wenn, so muß ich anfügen, der fortgeschrittene Israeli merkt, daß er seinen Meister gefunden hat, trägt er dies mit guter Haltung. Meine Begleiterin hatte ein paar leichte Beschwerden, und ein mir befreundeter Artz riet mir telefonisch, für sie ganz bestimmte Tabletten zu kaufen. Ich schmierte den Namen der Medizin in meiner verbotenen Handschrift auf ein Blatt Papier und las ihn der Verkäuferin in der Apotheke vor. Sie rief: »Geben Sie mir den Zettel. Ich kann schließlich lesen. Ich bin doch nicht blind.«

Ich antwortete: »Es scheint, daß Sie auch nicht taub sind. Vielleicht hören Sie mir zu!«

Dies verbesserte unsere Beziehung, und der Rest des Geschäfts wickelte sich ohne weitere Störungen ab.

Trotz all dieser aufreizenden und lästigen kleinen Zwischenfälle und Geplänkel gewinnt die Höflichkeit langsam an Boden. Man begegnet schon häufiger höflichem und rücksichtsvollem Verhalten; Autofahrer warten (manchmal) sogar zwei, im besten Fall drei Sekunden, um einen Fußgänger vorbei zu lassen, und sind auch untereinander wesentlich höflicher. Die Atmosphäre ist verglichen mit meinem ersten Besuch entspannter, der Verkehr ist weniger mörderisch. Diese neue Form des Verhaltens, die an Boden gewinnt – zugegeben, recht langsam –, äußert sich selbstverständlich nicht in aufdringlicher Rücksicht gegenüber anderen und entspricht nicht der Höflichkeit der Alten Welt, mitteleuropäischen Anstandsregeln oder der kühlen, disziplinierten und reservierten Art der Engländer. Aber warum auch? Ich, für

meinen Teil, halte mehr von ein wenig echter Rücksicht-
nahme als von sieben Verbeugungen, ich halte viel von
dem »Bitte-nach-Ihnen-Typ«.

Ein mir befreundeter Feldmesser wurde von seinem Assi-
stenten zu einem weit entfernten Teil des Landes gefah-
ren. Er kannte den Platz gut, war aber einige Monate
nicht mehr dagewesen, während sein Assistent fast jede
Woche draußen war.
»Hier wird ein neuer Militärflugplatz gebaut«, be-
schwerte sich mein Freund bei seinem Assistenten, »– und
Sie hielten es nicht für nötig, mich zu informieren!«
Der Assistent hatte schnell eine Entschuldigung parat:
»Tut mir leid, ich wußte nicht, daß es ein Geheimnis
war.«
Mir begegnete eine noch bessere Version von dem, was in
Israel »Geheim« ist. Ich interviewte einen hohen israeli-
schen Militär und konnte an einem gewissen Punkt seine
Erklärungen nicht akzeptieren. Ich bedrängte ihn hart.
Schließlich verlor er die Geduld und ging an seinen Ak-
tenschrank.
»Nun gut«, sagte er zornig, »das hier ist streng geheim.
Aber ich will es Ihnen zeigen.«
Und er zeigte es.

Wo speist man wie?

Israel ist heute – alles in allem – einer der aufregendsten und erheiterndsten Plätze auf der Welt: es ändert sich dauernd und kämpft höchst erfolgreich gegen eine erdrückende Übermacht. Israel ist ein tapferes kleines, zukunftsorientiertes Land, von dem die Menschheit einiges lernen könnte. Außerdem ist Israel nicht überall gleich. Es ist möglich, von New York nach Singapore oder von Sydney nach Johannesburg zu reisen, und wenn man nicht sehr gut aufpaßt, merkt man nicht, daß man überhaupt den Ort gewechselt hat. Das kann einem in Israel nie passieren. Viele Leute sind um die ganze Welt gereist und haben nichts anderes als die Hotelhallen der Hiltons gesehen mit immer denselben amerikanischen Gesichtern, auf die Stadtrundfahrt wartend und überall denselben ungenießbaren amerikanischen Kaffee trinkend, auf den die ganze amerikanische Nation so unsäglich stolz ist. In Israel bemerkt sogar der Hilton-Gast einen Unterschied, weil das Hilton-Tel Aviv sich von allen anderen Hiltons unterscheidet. Ich hasse alle Hiltons, nur das in Tel Aviv hasse ich etwas weniger. (Und der *Gefillte Fisch*, eine der Kostbarkeiten der polnisch-jüdischen Küche, ist der beste, den ein Hilton überhaupt serviert.)

Nach dieser Einleitung und nachdem ich schon früher

erwähnte, daß derjenige, dessen Hauptinteresse Nachtklubs und Stripteaseshows sind, Israel am besten meiden
sollte, möchte ich noch hinzufügen: Feinschmecker sollten
vor Israel (oder statt dessen) Frankreich besuchen.

Man kann in Israel gut essen, wenn man bereit ist, viel zu
zahlen. Unter den sehr teuren Restaurants sind einige
wirklich exzellent – vielleicht nicht Weltklasse, aber sogar
der verwöhnteste Kunde wird sie zu würdigen wissen.
Es fehlt in Israel das gutbürgerliche Restaurant, soweit
ich weiß (und soweit meine israelischen Freunde wissen),
gibt es keine Restaurants, in denen man eine wirklich
gute Mahlzeit zu einem mittleren Preis bekommen kann.
Jeder, der in Tel Aviv diese Lücke füllt, wird reich werden. Ich dachte schon selbst daran: Restaurants haben
mich schon immer fasziniert, das ständige Kommen und
Gehen der Menschen, die sorgfältig verborgenen Geheimnisse und Intrigen von Küche und Vorratskammern.
Aber dann überlegte ich mir, ob es wirklich klug wäre,
nach einem erfahrungsreichen Leben als Schriftsteller und
Journalist hinzugehen und ein Restaurant in Tel Aviv
zu eröffnen, so notwendig es auch wäre. Ich gestehe, daß
ich kalte Füße bekam. Ein anderer wird statt meiner
reich werden – es wäre nicht das erste Mal.

Geht man in ein billigeres Restaurant, kann man mehr
Glück haben. Einige der Milchbars servieren kalte, frische
und köstliche Milchprodukte. Hier wird man wieder wie
sooft im israelischen Leben an den Konflikt zwischen Ost
und West erinnert. Über dieses Problem der östlichen
und arabischen Juden im nächsten Kapitel mehr; hier

möchte ich nur sagen, daß die meisten der guten, billigen
Restaurants jemenitischen, irakischen und anderen arabischen Juden gehören.

Echte arabische Restaurants – in Ost-Jerusalem und auf
dem Westufer – sind ebenso zu Recht populär geworden.
Die arabische Küche ist in diesem Klima bekömmlicher
als jene berühmten und oft ausgezeichneten Gerichte, die
in der Kälte Polens und Rußlands entstanden. Nur glauben das wenige Leute, und wenn ich gute jüdische Gerichte in Israel esse, bin ich sogar froh darüber. Arabisches
Essen schmeckt delikat, aber die besten arabischen Restaurants sind nicht billiger als die besten jüdischen. Bestellt man bei einem Kellner, hört er mit großer Geduld
und Höflichkeit zu, so daß man beinahe verwirrt ist,
und bringt einem dann dreimal soviel, wie man bestellt
hat. Weist man schüchtern darauf hin, nimmt er tief
gekränkt die Hälfte wieder mit. Bestellt man Rind,
bringt er Lamm; man bestellt Kalbfleisch und er bringt
Lamm; man bestellt Schweinefleisch und er bringt Lamm.
Welche List man auch anwendet, es hat keinen Zweck:
bestellt man hinterlistig Lamm, dann bringt er Lamm.

Verläßt man das Zentrum von Tel Aviv, befindet man
sich einige hundert Meter vom Mograbi entfernt im jemenitischen Viertel: Europa liegt hinter einem, man hat den
Nahen Osten erreicht – eine verbesserte Version jedoch.
Die Menschen leben auf den Straßen, die vorherrschende
Sprache ist Arabisch. Entweder hocken sie herum oder
lehnen in den Eingängen mit mehr oder weniger unergründlichen Gesichtern (d. h. nach Feierabend, denn tags-

über arbeiten sie); auf dem Pflaster liegen mehr Kartoffelschalen und Obstabfälle herum, als zu einer malerischen Kulisse unbedingt notwendig wäre. Aber alles ist viel sauberer als in einer ähnlichen Straße im richtigen Nahen Osten; alles sieht gesünder aus, und man weiß, daß man ohne weiteres die bei einem Schlachter ausgestellte Ware kaufen kann, teils weil diese Leute in Israel viel gelernt haben, teils weil die Gesundheitsbehörden kompromißlos die Hygienevorschriften durchsetzen. Auf jeden Fall gibt es in diesem Bezirk die besten billigen Restaurants von Tel Aviv. Ein paar sind in Mode gekommen und bemühen sich um Touristen, aber einige haben ihren Charakter bewahrt und sind für meinen Geschmack die besten Speiselokale im Land – und das auch einschließlich der teuren Restaurants.

Bücher und andere Laster

Israel ist nicht gerade ein sehr frivoles Land. Zeitvertreib der Nation ist Lesen. Dies hat sich selbst nach der Einwanderung einer großen Zahl orientalischer Juden nicht geändert, von denen viele Analphabeten waren, als sie kamen. Ich besichtigte eine Slumwohnung in Tel Aviv – vielleicht der ärmlichste und erbärmlichste Raum, den ich je in Israel sah –, und in dieser niederdrückenden Umgebung lag ein alter Mann bäuchlings auf einem wackligen eisernen Bettgestell. Wenige Zentimeter vor seiner Nase hielt er ein Buch, das sich schon in einzelne Blätter auflöste, und las mit lebhaftem Interesse; ein Vergrößerungsglas half ihm dabei. Über ihm baumelte an einem langen Draht eine einsame, nackte Glühlampe. Vielleicht findet man nicht in jedem Haushalt eines ungelernten Arbeiters Nietzsche oder eine Ausgabe von Dostojewskis Romanen, wie es einem zwanzig Jahre vorher passieren konnte, aber man sah, daß mehr Leute als irgendwo sonst lesenswerte Bücher lasen.

Neben meinem Tel Aviver Hotel, das in der Yarkonstraße liegt, gibt es einen kleinen Park, der von der Straße durch eine niedrige Steinmauer abgetrennt ist. Auf dieser Mauer saß jeden Tag ein Gelegenheitsarbeiter, ein jemenitischer oder irakischer Jude, der auf irgendeinen

Job wartet, vielleicht auf die Gelegenheit, Koffer zu tragen oder in einem der Hotels Kartoffeln zu schälen. Er hatte, immer wenn ich vorbeikam, seine Transistorradio laufen. Er hörte keine Pop-Musik, wie die meisten Männer seinesgleichen überall auf der Welt getan hätten, sondern Nachrichten und politische Kommentare. Die Sendungen waren auf hebräisch, so daß ich sie nicht verstand, aber ich konnte den Namen des amerikanischen Präsidenten, Vietnam, de Gaulle, Kossygin und Dubček verstehen. Ich fragte einmal einen israelischen Freund, mit dem ich vorüberging, was sich dieser Mann anhörte. Es war eine internationale Presseschau. Könnte es sein, fragte ich mich, daß dies die wahre Stärke des Landes war? Konnte die Armee so gut kämpfen, wie sie es dann tat, weil Gelegenheitsarbeiter, die auf Mauern hockten, mehr an einem Leitartikel aus *Le Monde* interessiert waren als an den Rolling Stones?

Diese Hingabe an die Kultur kann auch zu weit gehen, dachte ich, als ich merkte, daß mein Taxifahrer noch während des Fahrens seine Zeitung las. Glücklicherweise war es ein Tag ohne Ereignisse, voller Langeweile, die Nachrichten waren nicht aufregend, wir erreichten unser Ziel.

Nachtklubs gibt es kaum in Israel. Als ich einmal zwei Freunden gegenüber bemerkte, daß Israel in dieser Angelegenheit Las Vegas nicht das Wasser reichen könnte, waren sie tief verstört, obwohl ich dies als Kompliment gemeint hatte. Man darf nicht einmal das in Israel verspotten. Aber ich muß es jetzt wiederholen: Wer ein ausgelassenes, sündiges und verderbtes Nachtleben sucht, sollte lieber nicht nach Israel kommen. Die Nachtbars, die man hier findet, riechen eher nach einem Heim des CVJM als nach ein bißchen Laster.

Weil wir gerade über den CVJM sprechen: In Jerusalem kann man den einzigen Christlichen Verein Junger Männer finden, in dem die meisten Mitglieder Juden sind. (Das Verhältnis hat sich zu ihren Ungunsten verschoben. Nach dem Krieg traten viele Moslems ein.)

Ein anderes ernstes Problem ist der Alkoholismus in Israel. Der Ärger ist, daß die Leute nicht genug Alkohol trinken. Es gibt keine Pinten. Man kann in den Hotelbars, Restaurants und Cafés alkoholische Getränke bekommen, aber nur wenige Israelis trinken etwas Stärkeres als Bier. Sie trinken eisgekühlten Fruchtsaft, aber sogar davon weniger als früher. Als ich Israel zum erstenmal besuchte, war *Gazoz* – verschiedene mit Kohlensäure versetzte Fruchtsäfte – das Nationalgetränk. Millionen Liter von *Gazoz* wurden jeden Tag verkonsumiert. Damals kursierte folgende Geschichte in Israel: Ein Christ und ein Jude verirren sich in der Wüste. Nach langer Suche werden sie gefunden, und als die Rettungsmannschaft schließlich ankommt, hören sie, wie der Christ »Wasser! Wasser!« ruft und der Jude »*Gazoz! Gazoz!*«

Jetzt hörte ich kein einziges Mal das Wort *Gazoz*. Es heißt jetzt einfach »Fruchtsaft«, und jener in der Wüste verirrte Jude würde, so glaube ich, sich mit einem Glas Wasser zufriedengeben, vorausgesetzt, es ist eisgekühlt.

Der niedrige Alkoholkonsum beunruhigt die Regierung, weil sie versucht, die Weinproduktion auf dem Karmel voranzutreiben oder, besser gesagt, zu steigern. Israel ist das einzige Land auf der Welt, wo die offizielle Propaganda versucht, die Bevölkerung zum Trinken zu animieren:

Wein macht das Essen erst schön!

Israel produziert selber Weinbrand. Eine wertvolle Freundschaft mit einem Israeli wurde im Keime erstickt, weil ich behauptete, daß manche französische Spitzencognacs um Nuancen besser wären, aber der israelische Weinbrand ist durchaus trinkbar, und die Menschen werden dezent darauf aufmerksam gemacht:

Ein kleiner Weinbrand stimmt Sie heiter!

Aber es hilft nichts. Sie wollen nicht heiter sein. Sie wollen verdrießlich bleiben und nüchtern. Passah ist die große Zeit des Weinhandels: Jeder soll acht Tage lang täglich vier Gläser Wein trinken. Und das tun sie auch: trinken ist für sie dann eine religiöse Pflicht und kein Vergnügen.

Man soll jedoch nicht glauben, daß diese Abstinenz als Tugend angesehen wird. Im Gegenteil, sie wird von vielen Leuten als Beweis betrachtet, daß die Juden nicht richtig lebensfähig sind, unfähig seien, das Leben richtig zu genießen, und überhaupt keine richtigen Menschen seien. Sie können es niemandem recht machen.

Selbst ihr Anstand auf einem anderen Gebiet richtet sich manchmal gegen sie. Ich hörte, wie ein französischer Journalist einige Araber in Gaza über jüdische Greueltaten während des Krieges befragte. Gaza – wie wir noch sehen werden – ist ein Ort der Bitterkeit, des Hasses und der Frustration, und es gibt nur wenige Anklagen, die die dort lebenden Araber nicht gegen die Juden erheben würden. Der Franzose fragte einen arabischen Lehrer, der nur zu bereit war, alle möglichen Greueltaten, die nie passiert sind, in grellen Farben zu schildern, nach Fällen von Vergewaltigung.

»Was für Vergewaltigungen?« fragte der Araber.

»Nun. Sie wissen doch. Vergewaltigungen. Die israelische Armee vergewaltigt arabische Frauen.«

Der arabische Lehrer schüttelte seinen Kopf und erklärte, es habe nie Vergewaltigungen gegeben.

»Was? Überhaupt keine Vergewaltigungen?«

»Nein«, antwortete der Araber entschuldigend, und es gefiel ihm offensichtlich gar nicht, daß er den freundlichen Franzosen enttäuschen mußte.

»Keine einzige Vergewaltigung.«

Der Franzose verdrehte die Augen und rief voller Verachtung: »Mein Gott! Und das nennen sie eine Armee!«

Sprich doch Hebräisch!

Israel hat zwischen meinen Besuchen Hebräisch gelernt, in drei Stufen. Am Anfang, wie allgemein bekannt ist, sprach keine Menschenseele Hebräisch. Und tatsächlich ist dies seit Menschengedenken die einzige erfolgreiche Wiederbelebung einer toten Sprache in der heutigen Zeit: weder die Iren noch die Waliser hatten halb soviel Erfolg. Die Wiederbelebung der hebräischen Sprache war im wesentlichen die Idee und die Arbeit eines einzigen Mannes: Ben Yehuda, der von 1858 bis 1922 lebte. Er war Student an der russischen Universität von Daugavpils gewesen, wanderte nach Palästina aus und sprach mit seiner Familie und allen Fremden ausschließlich Hebräisch. »Ich sage nicht, daß ein Zionist irre sein muß«, sagte Präsident Weizmann, »aber es kann ganz nützlich sein.« Tatsächlich hielten viele Ben Yehuda lange Zeit für einen verrückten Phantasten. Aber die Idee, Hebräisch zu sprechen, fand Anklang, und das Unmögliche wurde möglich. »Der Besitz einer eigenen Sprache ist die Wurzel menschlicher Würde«, schrieb Aristoteles, und Ben Yehuda stimmte mit ihm überein. Heute sprechen Milchmann und Schneider, Büroangesteller und Gemüsehändler, Postbeamter und Rechtsanwalt hebräisch. Manche sprechen es gut, manche leidlich, andere schlecht – aber sie sprechen es so selbstverständlich, wie man Persisch oder Französisch spricht.

Ben Yehudas Hebräischkenntnisse stammten aus der Bibel. Bei anderen Sprachen ist ein großes literarisches Werk ein Nebenprodukt der Sprache; in diesem Fall ist die Sprache das Nebenprodukt eines großen literarischen Werkes.

Hebräisch ist (so schrieb ich in meinem schon häufiger genannten Buch) eine sehr schwere Sprache, weil es ohne Vokale geschrieben wird. Die erste Zeile der deutschen Nationalhymne sähe demnach folgendermaßen aus:

ngkt nd Rcht nd Frht

Eine Zeile aus einem Shakespeare-Sonett sähe so aus:

S wrst d n gbrn, wnn d lt,

gelesen könnte es heißen: *So wirst du nie gebären, wenn du alt* ... oder *So wirst du neu geboren, wenn du alt.*

Es gibt auch noch andere Schwierigkeiten. Eine aus einem alten Buch neu erstandene Sprache eignet sich besser für biblische Verwünschungen als für lebendige moderne Gedanken oder technologische Probleme. Ein weiteres ernsthaftes Handikap war, daß niemand wirklich gut hebräisch sprach. Zur Zeit meines ersten Besuchs betrug die israelische Bevölkerung ungefähr eine Million. Ein Drittel davon war in den vorangegangenen achtzehn Monaten ins Land gekommen, was – proportional – bedeutet hätte, daß in England fünfzehn Millionen Einwanderer und Flüchtlinge und den Vereinigten Staaten 45 Millionen innerhalb von anderthalb Jahren eingetroffen wären, alle der englischen Sprache unkundig. Die durchschnittliche Kenntnis der hebräischen Sprache war so schlecht, daß es damals einen merkwürdigen Beruf in Israel gab: ein Mann, der die Sprache wirklich gut beherrschte, lektorierte die Reden der Parlamentsmitglieder, einschließlich der der Minister, korrigierte sie und befreite sie von größeren grammatikalischen Fehlern, so daß sie in dem israelischen Parlamentsbericht veröffentlicht werden konnten.

Weniger als zehn Jahre später – während meines zweiten Besuchs – erreichte Israel die zweite Stufe und schien ein Land zu sein, in dem mehr Sprachen schlechter als irgendwo sonst auf der Welt gesprochen wurden. Viele Mitteleuropäer sprachen schlechtes Deutsch, Rumänen und Bulgaren sprachen schlechtes Französisch, andere Rumänen sowie Slowaken und Kroaten kauderwelschten Ungarisch, einige Jugoslawen sprachen schlecht italienisch, manche Italiener sprachen schlecht spanisch, Griechen sprachen schlecht türkisch, Türken sprachen schlecht griechisch. Schlechtes Englisch war die zweite Sprache Israels, und schlechtes Hebräisch blieb natürlich die Nationalsprache.

Das hat sich jetzt auf der Stufe drei alles geändert. Die Mehrheit der Bevölkerung (gerade über fünfzig Prozent, aber doch die Mehrheit) spricht Hebräisch wie ihre Muttersprache. Der Hauptfortschritt jedoch besteht nicht einfach darin, daß mehr Leute Hebräisch sprechen, sondern daß so viele Menschen es ganz natürlich tun. Für niemanden ist es mehr eine Anstrengung, erscheint keinem absonderlich oder als Witz: Hebräisch ist eine

Sprache. Der Verkauf hebräischer Zeitungen steigt, da immer mehr Leute auch hebräisch *lesen* können. (Es war paradox, daß es in diesem gebildetsten aller Länder viele Menschen gab, die eine Art Hebräisch sprachen, aber nicht lesen konnten. Die fehlenden Vokale hatten es ihnen erschwert.) Neu geschaffene und natürlich entstandene Worte füllten mehr und mehr die Lücken, und diese Neuschöpfungen wurden lebendige, organische Teile der Sprache. Es gab manchen Blindgänger, einige Worte fanden keinen Anklang, aber die Sprache wurde fast jeden Tag reicher*. In den Sechzigern konnte man sich über jedes Thema wie in einer anderen Sprache unterhalten – Technologie, Pop-Musik, Sex, Kunst und Wissenschaft. Für die Entwicklung regionaler Dialekte ist das Land zu klein: Man kann auf Grund der Sprache nicht sagen, ob einer aus Beer-Seba oder aus Dan kommt. Aber andere Dialekte florieren: vor Gericht, auf der Bühne, beim Militär, in der Schule, in der Unterwelt usw. Zur Zeit meines ersten Besuches hatte das Hebräische es wie durch

---

* Die Bildung neuer Worte, durch die das alte, biblische Hebräisch zu einer modernen Sprache gewandelt wurde, war Aufgabe der *Vaad ha-Lashon*, dem Sprachverein. Ich erwähnte in meinem ersten Buch über Israel diese Institution, schrieb sie aber falsch. Innerhalb von zwanzig Jahren habe ich sicher tausend Briefe erhalten, die mich auf diesen Fehler hinwiesen. Einige kamen aus dem Haus, in dem ich wohnte, andere aus Neu-Seeland. Sie alle baten mich, diesen Fehler in der nächsten Auflage zu korrigieren, aber als neue Auflagen gedruckt wurden, erfuhr ich entweder von diesem Neudruck nichts im voraus, oder aber ich konnte keinen der zahlreichen Briefe finden – so blieb die falsche Schreibweise bestehen. Die ehrenwerte Gesellschaft wurde in der Zwischenzeit (1954) als offizielle Akademie der Hebräischen Sprache anerkannt, deren Regeln für Grammatik und Orthographie verbindlich sind. Ich verneige mich in Ehrfurcht und versuche es noch einmal: *Vaad ha-Lashon*.

ein Wunder geschafft, zu überleben; bei meinem letzten Besuch lebte es.

Meine linguistischen Erfahrungen in Israel zerstörten eine alte Theorie von mir, die ich für unfehlbar hielt. Anfang der fünfziger Jahre besuchte ich Finnland, ein Land, das ich sehr liebe. Ich war besonders an der Sprache interessiert, weil Finnisch eine der wenigen sprachlichen Verwandten des Ungarischen in Europa ist. Obwohl eine große Zahl von Grundworten (Fisch, Vogel, Hand, Fuß, eins, zwei, drei usw.) und ebenso einige grundlegende und besondere Grammatikregeln in beiden Sprachen die gleichen sind, konnte ich tatsächlich kein einziges Wort Finnisch verstehen. Aber ich konnte Finnisch ohne weiteres erkennen: die Betonung in beiden Sprachen ist die gleiche, Finnisch klingt wie Ungarisch, Ungarisch wie Finnisch. Beide Sprachen betonen die erste Silbe des Wortes, und die Stimme senkt sich am Ende jedes Satzes. Deshalb haben diese Sprachen einen regelmäßigen, monotonen Klang wie das Schlagen einer Trommel. Meiner eigenen Regel folgend gelang es mir immer, Finnisch zu erkennen. Jede Sprache, die mir unbekannt war und wie Ungarisch klang, mußte Finnisch sein. Heute sagt man den Ungarn ein scheußliches Hebräisch nach. Vielleicht liegt es daran, weil die Hebräer die letzte Wortsilbe betonen und ihre Stimme am Satzende heben, Regeln, die von allen Angehörigen ungarischer Zunge voll Stolz außer acht gelassen werden. Diese Angewohnheit warf jedoch meine alte Regel über den Haufen. Heute weiß ich, daß jemand, der wie ein Ungar spricht, nicht unbedingt ein Finne ist. Er könnte ebenso ein Ungar sein, der Hebräisch spricht.

Die Beziehung zwischen Hebräisch und Jiddisch hat sich auch in den letzten zwanzig Jahren geändert. Jiddisch erregte in Israel bislang mehr Mißfallen – ja, es war beinahe verhaßt – als in Polen oder in Deutschland vor Hitler. Jiddisch war eine Bastardsprache, leicht komisch, die Sprache des lächerlichen Juden, wie der Antisemit ihn sah. Die Israelis hatten das Gefühl, daß Jiddisch nichts mit Israel zu tun hatte. Aber polnische und andere mitteleuropäische Juden – in mancher Hinsicht die provozierendsten Geschöpfe, andererseits die Creme der Nation – fühlten, daß Jiddisch, was immer auch Antisemiten denken mochten, ein Teil der jüdischen Tradition war und tatsächlich, indem man sich gewisser Kapitel jüdischer Geschichte und mancher Autoren, die in Jiddisch geschrieben hatten, erinnerte, einen sehr beträchtlichen Teil der Tradition darstellte. Diese Leute wehrten sich heftig gegen die Unterdrückung der jiddischen Sprache und sahen darin einen antisemitischen Trend in Israel. Sie wehrten sich sogar gegen Hebräisch als israelische Nationalsprache. Hebräisch war die Sprache der Bibel, sagten sie, und es sei ein Sakrileg, sie zur Sprache des Marktplatzes und des Schlafzimmers zu machen. Jiddisch hat jetzt eine großartige Neubelebung erfahren, die es hauptsächlich dem glänzenden Erfolg eines jiddischen Theaters verdankt. Kein Mensch hat heute noch etwas gegen Jiddisch. Das Hebräische ist stark genug geworden, um das Jiddisch zu tolerieren.

Ich traf in Haifa ein paar alte Freunde, die kürzlich aus
Siebenbürgen gekommen waren und mit Hebräisch noch
mehr Schwierigkeiten als die meisten Ungarn hatten. Sie
gaben sich redlich Mühe, mußten aber ihre Niederlage
eingestehen. Eines Tages begleitete ich die Hausherrin bei
einigen Einkäufen und beobachtete einen ungefähr fünf-
zehnjährigen arabischen Jungen, der seine Kunden bediente und mit ihnen, wie es mir schien, fließend in idio-
matischem und akzentfreiem Hebräisch sprach (Araber
sind sehr sprachbegabt). Als wir an die Reihe kamen,
sprachen meine Bekannte und der arabische Junge Englisch.

»Aber er spricht doch Hebräisch«, sagte ich.

Sie errötete.

»Er schon. Aber ich nicht.«

Wer war Wer?

In meinem ganzen Leben habe ich nicht so viele Menschen beleidigt wie in Israel.

Irgend jemand ruft einen an und sagt: »Hier Ephraim Bar'on.«

»Bitte, was kann ich für Sie tun?« fragt man höflich und ein bißchen zögernd.

Ephraim Bar'on knallt den Hörer auf und wird nie wieder mit einem sprechen, der so unverzeihlich aufgeblasen, kühl und unfreundlich ist.

Es stellte sich heraus, daß man mit Ephraim Bar'on, als man das letzte Mal Israel besuchte, dick befreundet war – aber damals hieß er Marcel Brandeis. Er änderte seinen Namen vor Jahren, hat einen nie davon unterrichtet, aber dennoch wird von einem erwartet, daß man in Ephraim Bar'on niemand anderen vermutet als den alten Kumpel Marcel Brandeis.

Manchmal gehen diese Namensänderungen etwas seltsame Wege. Man erzählte mir von einem Jemeniten namens Elijahu Yehuda – ein berühmter hebräischer Name, von dem man träumen könnte. Er aber mochte diesen Namen durchaus nicht. Er hatte nie etwas von dem großen Ben Yehuda gehört, und außerdem wollte er, da er jetzt in Israel lebte, einen hübschen jüdischen

Namen, was er so darunter verstand. Er änderte seinen
Namen in Schmuel Goldstein und war glücklich.

Nach ein, zwei schlechten Erfahrungen mit geänderten
Namen fragt man versuchsweise und höflich, wie wohl
der frühere Name des Anrufers gewesen sein mag. Das
gilt als unhöflich. Die Israelis möchten – mit wenigen
Ausnahmen wie Herr Elijahu Yehuda – die deutsch-
klingenden jüdischen Namen loswerden, und niemand
möchte erinnert werden, daß er früher einmal in der
Slowakei oder in Montenegro einen derartigen Namen
getragen hatte anstelle seines jetzigen langen, melodiös
und schön klingenden hebräischen Namens. Mit den Vor-
namen ist es genauso schwierig. Der alte Freund Peter
heißt jetzt Akiba, aus Joe wurde ein Igal, aus Steve
Aharon. Man durchstöberte die Bibel nach bisher un-
üblichen Namen, und mit Ausnahme von Kain mußten
alle herhalten.

Also, was tun? Es wäre unerhört und herzlos, in Igal
Gilboa nicht seinen Sandkastenfreund Pista Barna aus
Budapest wiederzuerkennen. *Wie* das aber zugehen soll,
ist ein Problem, das zu lösen einem höchst persönlich
überlassen bleibt.

Ein Nachschlagewerk »Wer war wer?« könnte heute in
Israel ein sehr populäres und ungemein nützliches Buch
werden.

Themen mit Variationen

Israel bemüht sich sehr um die Lösung von zwei grundlegenden politischen Problemen. Natürlich stehen auch viele andere Themen zur Diskussion und werden debattiert, diese sind aber meist lokaler, parochialer oder kurzfristiger Natur. Eines der beiden Hauptprobleme entstand durch den Erfolg: Was soll mit den besetzten Gebieten geschehen? Das andere Problem entstand durch Versagen, da es der größten politischen Partei nicht gelang, eine absolute Mehrheit zu erreichen. Wie kann der unangenehme politische Einfluß der religiösen Fanatiker verringert werden?

Israel ist eine Demokratie. Sein Parlament – die Knesset – entsteht durch ein Verhältniswahlrecht. Dieses Wahlsystem ist der Feind des Zwei-Parteien-Systems und erzeugt immer zu viele politische Parteien. Darüber hinaus hatten die israelischen Parteien den unglücklichen Hang, sich durch Teilung zu vermehren: Jeder größere Streit führte zu einer Teilung, und eine Menge Splittergruppen bildeten neue Parteien, bis es sogar den Israelis eines Tages zuviel wurde. Heutzutage ist diese Tendenz umgeschlagen, und die Parteien und Splittergruppen bilden, wann immer es möglich ist, größere Einheiten. Die drei Parteien der Linken, Mapai (die ursprüngliche Israeli-

sche Arbeiterpartei), die Achdut Haavoda (eine Pionier-
gruppe der Zionisten, besonders stark im kommunalen
Bereich) und die Rafi (eine einflußreiche Splittergruppe,
ursprünglich mit Ben Gurion als treibende Kraft) bildeten die Vereinigte Israelische Arbeiterpartei. Auf der
Rechten steht die Gachal, eine Koalition der israelischen
Liberalen und der extrem nationalistischen Cherut. Die
Bildung der neuen Vereinigten Israelischen Arbeiterpartei wurde nicht nur aus politischen, sondern auch aus
personellen Gründen notwendig. Levi Eschkol, der Ministerpräsident, gehört zur Mapai, der führenden Partei
in der Koalition; aber Eschkols wahrscheinliche Nachfol-
ger gehören den beiden kleineren Parteien an: Igal Allon
der Achdut Haavoda und General Moshe Dayan der
Rafi.* Jetzt sind sowohl der Ministerpräsident als auch
die beiden Prätendenten Angehörige der Vereinigten
Israelischen Arbeiterpartei.

Das Land ist schon immer von einer Koalition regiert
worden. aber heute ist es eine sogenannte Große Koalition, ein höflicherer Ausdruck dafür, daß alle regieren
wollen. Diese Große Koalition entstand in einer Stunde
großer nationaler Not: am 5. Juni 1967, dem ersten Tage
des Sechs-Tage-Krieges. Nationale Einheit war von
größter Wichtigkeit, und die Bildung dieser Großen
Koalition erinnert an die großen Tage ... Koalition von
Konservativen und Labour in England während des

---

* Levi Eschkol starb am 26. Februar 1969. An seine Stelle trat Frau
Golda Me'ir, die auch nach den Wahlen von 1969 wieder Minister-
präsidentin wurde. Aber während meines Besuches war Eschkol
Ministerpräsident, und ich lasse alles, was ihn betrifft, unverändert.

Zweiten Weltkrieges. Was zur Zeit des Krieges richtig und bedeutend war, ist heute während des sogenannten Friedens oder mindestens Waffenstillstands fast bedeutungslos geworden; doch das Festhalten an dieser bedeutungslosen Koalition, um die Einheit der Ungeeinten zu bewahren, ist – wie wir sofort sehen werden – eines der wichtigsten taktischen Ziele der Regierung.

Die Opposition ist gleich Null: 108 Mitglieder von 120 unterstützen die Regierung. Drei der zwölf Oppositionsmitglieder sind Kommunisten, die untereinander zerstritten sind und zwei feindliche Gruppen bilden. Eine kommunistische Partei, die Rakah, folgt der Moskauer Linie, bezeichnet Israel als Aggressor und fordert sofortigen Rückzug aus den besetzten Territorien. Diese Partei könnte einen an die Pro-Nazi-Juden im Deutschland von 1933 erinnern, denen man nachsagte, daß sie *für* Hitler demonstrierten und Spruchbänder trugen: »Heil Hitler, hinaus mit uns!« Doch die Tatsachen liegen anders. Die Rakah ist weitgehend eine proarabische Partei, und eine ganze Menge ihrer kommunistischen Mitglieder sind überhaupt keine Kommunisten, sondern als Kommunisten maskierte arabische Nationalisten. (Wenn diese Leute also schreiben: »Hinaus mit uns aus den besetzten Gebieten«, klingt das jedenfalls sinnvoller als das Geschrei jener Juden in Deutschland.) Die andere kommunistische Partei, die Maki, unter der Führung von Dr. Moshe Sneh, erkannte die Realitäten. Nach dem Juni 1967 konnte man nicht mehr gleichzeitig Kommunist à la Moskau und ein Israeli sein. Jetzt hieß es entweder oder. Die Maki hält an ihren kommunistischen Idealen fest, hat aber mit Moskau gebrochen (wie so viele andere kommunistische Parteien), und in diesem besonderen Fall gilt für sie: »Kein Rückzug ohne Frieden.«

Die große politische Debatte dreht sich, wie ich bereits erwähnte, um die Frage des Rückzuges. Man gewinnt den Eindruck, daß die, nehmen wir an, zwei Millionen politisch bewußter Bürger Israels zwei Millionen und einen Plan haben, um dieses Problem zu lösen. Das ist jedoch nicht so. Die verschiedenen Ansichten sind sich viel näher, als sie auf den ersten Blick scheinen. Manche Leute gehen von dem extrem nationalistischen Standpunkt aus und erklären: »Was wir erobert haben, haben wir mit dem Blut unserer Söhne bezahlt, und es gehört uns. Was wir haben, behalten wir. Wir geben keinen Fußbreit Boden preis!« Das andere Extrem ist nicht nur antinationalistisch, sondern auch antizionistisch. Israel, so sagen sie, muß aufhören, ein zionistischer Staat zu sein und Teil des Nahen Ostens werden, zu dem es gehört. Israel muß ein zweisprachiger, jüdisch-arabischer Staat im Nahen Osten werden – denn schließlich hat es viel mehr mit palästinensischen Arabern als mit New Yorker Juden zu schaffen. In einem wiedervereinigten jüdisch-arabischen Palästina würde die Frage der besetzten Territorien bedeutungslos werden.

Diese gegensätzlichen Ansichten scheinen unvereinbar, tatsächlich sind sie fast identisch. Der extrem rechte Flügel wird – nach kurzer Diskussion und nachdem man etwas Dampf abgelassen hat – zustimmen, daß Israel, um wirklichen Frieden zu erreichen, beträchtliche Opfer bringen sollte. Das heißt: aus dem »keinen Fußbreit zurück« würde eine Theorie, nach der man ein »ganzes Stück zurückgehen müßte«. Die andere Seite wird zustimmen, obwohl ihre Ziele die einzig richtigen auf lange Sicht sind, daß es für die Gegenwart nicht opportun ist, davon zu sprechen, daß Israel ein Teil des Nahen Ostens werden solle, solange dieser nur den einen glühenden Wunsch hat: Israel möge kein Teil des Nahen Ostens sein.

Verwickelt man die Israelis in ernsthafte Diskussionen, so wird man feststellen, daß sie sich, sobald sie ihre Schlagworte losgeworden sind und sich der Staub gesetzt hat, zu 99 Prozent mit folgenden Punkten einverstanden erklären: Erstens: Jerusalem ist ein Teil Israels geworden, man hat es sich einverleibt und wird es nie wieder aufgeben. Jerusalem ist unverzichtbar.

Warum das so sein soll, ist mir nicht ganz klar. Ich weiß, daß die meisten Israelis sehr an Jerusalem hängen, aber Gefühle – so leidenschaftlich sie auch sein mögen – sind keine Argumente. Sie sagen völlig zu Recht, daß Jerusalem eine heilige Stadt des Judentums ist, aber es ist auch eine heilige Stadt des Islams und des Christentums. Sie fügen hinzu und haben damit ebenfalls recht, daß Jerusalem eine alte jüdische Stadt ist, in der während ihrer Geschichte fast immer eine jüdische Majorität vorhanden war; niemand wird leugnen, daß Israel einen starken Anspruch auf Jerusalem besitzt. Eine erneute Teilung der Stadt wäre schlimm, und Israel hat auf Jerusalem wahrscheinlich einen berechtigteren Anspruch als Jordanien. Es wäre eine Lösung, wenn die heiligen Stätten internationaler Kontrolle unterständen und Jerusalem eine Hauptstadt werden könnte mit dem Territorium einer unabhängigen Stadt auf ihrem Gebiet, vergleichbar der Vatikanstadt in Rom. Es gibt viele andere mögliche Lösungen, aber auf jeden Fall muß das Schicksal Jerusalems in Verbindung mit anderen Problemen am Konferenztisch gelöst werden. Tatsache ist, daß sowohl Araber wie auch Juden immer die Probleme aufgeworfen haben, die ihnen gerade paßten, aber nie die der anderen Seite; daß beide konstant die eine oder andere Forderung für unverzichtbar erklärt haben, hat die arabisch-israelischen Beziehungen seit dem Unabhängigkeitskrieg von 1948 belastet und die Verwirrung beschert, in der wir uns heute befinden.

Zweitens: Die Golan-Höhen können nicht zurückgegeben werden, weil sie einen Dolch in Israels Herzen darstellen. Während des Winters 1966/67 wurden von dort aus fast täglich die Ansiedlungen Galileas bombardiert, und das Leben wurde ungeheuer erschwert. Auf jeden Fall gibt es heute in Golan keinen Araber mehr. Alle flohen im Juni 1967, lediglich 6000 sympathisierende Drusen blieben dort, die es vorzogen, unter israelischer Herrschaft zu leben.

Drittens: Gaza ist gewissermaßen ein südliches Golan, d. h. ein südlicher Dolch. Es war immer ein Teil Palästinas und gehörte niemals zu Ägypten, so daß es auch nicht zurückgegeben werden braucht. Der Gaza-Streifen liegt zu dicht bei Tel Aviv, als daß er in feindlichem Besitz

sein dürfte. Trotzdem müssen alle Probleme wie Flüchtlinge, mögliche Entschädigung usw. gelöst werden.

Viertens: Die Sinai-Halbinsel muß früher oder später
aufgegeben werden, und Ägypten – so meinen die Israelis – sollte für die Rückgabe der Ölquellen und die Möglichkeit, den Suez-Kanal wiederzueröffnen (vorausgesetzt, israelische Schiffe dürfen ihn benutzen), große
Konzessionen machen. Israel möchte diese Gebiete nicht
behalten, aber die Räumung muß im Zusammenhang
eines allgemeinen Abkommens diskutiert werden.

Das führt uns fünftens zum Westufer des Jordans. Dieses
Gebiet ist der wahre Zankapfel. Einige Förderer der
Eretz-Israel-Bewegung (i. e. die »Keinen-Fußbreit-Bo-
den«-Anhänger) möchten alles behalten, weil sie glauben,
Israel sei der natürliche rechtmäßige Erbe Palästinas.
Andere sind darauf vorbereitet, fast alles zurückzugeben
(aber sogar sie würden auf Grenzkorrekturen bei Latrun
bestehen, wo Israel nur etwa 15 km breit ist), aber nur
wenn ein richtiger Friedensvertrag unterzeichnet ist; andere wieder sähen es gerne, wenn man das Westufer in
einen unabhängigen Palästinensisch-Arabischen Staat
verwandelte. Aber viele andere wehren sich gegen diesen
Plan mit der Begründung, daß ein solcher Staat zweifellos ein israelischer Satellit werden würde, und ein
Satellitenstaat sei für jedermann ein Ärgernis. Ein solcher
Staat würde die wütende Feindschaft der Araber provo-
zieren, und statt eine Brücke zwischen Arabern und Juden zu werden, schüfe dieser Staat nur neuen Sprengstoff.
An diesem Punkt überlappen die politische Rechte und

die Linke einander: man würde erwarten, daß die Rechte darauf bestünde, die Gebiete zu behalten, während die Linke konzilianter sei. Das ist ein Irrtum. Der rechte Flügel wünscht einen nationalistischen jüdischen Staat und ist auf eine Million zusätzlicher arabischer Bürger und Wähler nicht scharf. Es ist die Linke, die sich darauf vorbereitet, sie zu akzeptieren. Und es ist in der Tat die Hoffnung einiger gemäßigter Araber, daß Israel sich das Westufer einverleiben wird, weil so – denken sie – die Araber auf dem Westufer zusammen mit den ursprünglichen israelischen Arabern (die 1948 in Israel blieben) in wenigen Jahrzehnten eine Minderheit bilden würden und Palästina ohne einen Schuß wiedererobert würde.

Zu diesem Thema gibt es noch weitere – tatsächlich zahllose – Variationen. Man hört häufig, daß die Israelis wahrhaftig Frieden haben wollen, aber da sich die Araber offensichtlich und in aller Öffentlichkeit auf die vierte Runde vorbereiten, könnte Israel genausogut die besetzten Gebiete weiterhin behalten und die vierte Runde von diesen strategisch vorteilhafteren Gebieten eröffnen. Es ist ein Merkmal des Problems, daß beide Seiten bereit sind, die sie interessierenden Punkte zu lösen, während andere, unbequeme Probleme ungelöst bleiben. Die Araber bestehen auf dem Rückzug und der Wiederansiedlung der Flüchtlinge, die Israelis auf einen Friedensvertrag. Es scheint vernünftig, das Problem *in toto* und nicht in Teilabschnitten zu lösen; eine Friedenskonferenz kann sich auflösen, aber Teilvereinbarungen sind zum Mißerfolg verdammt, bevor sie überhaupt in Kraft treten.

Israels Beharren auf einem Friedensvertrag wird manchmal als naiv bezeichnet. Ein Friedensvertrag, so heißt es, ist einfach ein Fetzen Papier, den die Araber – besonders, wenn sie von den Russen ermutigt werden – jederzeit zerreißen können. Aber während uns die Geschichte lehrt, daß ein Friedensvertrag keine absolute Friedensgarantie bietet, und während in Wirklichkeit sogar die optimistischsten proarabischen Israelis wissen, daß sie kein unbegrenztes Vertrauen in die Unterschriften der arabischen Führer setzen können, wäre es doch ein Fortschritt, wenn sich die Araber mit den Israelis zu Verhandlungen zusammensetzten. Sie haben bei vielen Gelegenheiten häufig genug gesagt, daß sie das nicht täten. Unterzeichneten sie jetzt einen Friedensvertrag, würden sie Israels Existenz anerkennen und dem Land *Grenzen* geben statt der militärischen Grenzlinie oder der Waffenstillstandslinie, mit der sich Israel seit 1948 hat zufriedengeben müssen – Grenzen, die auch die Expansion Israels einschränken würden.

Der Ärger ist, daß so etwas für jeden arabischen Führer eine schrecklich bittere Pille wäre, die er schlucken müßte, und wahrscheinlich nicht allein eine bittere Pille, sondern politischer Selbstmord, eine offensichtliche Unmöglichkeit für jeden Führer, der an der Macht bleiben möchte. Die Araber haben sich selber in eine Situation hineingeredet, der sie nicht entfliehen können. Sie haben immer miteinander gewetteifert, um zu zeigen, daß derjenige, der am meisten gegen Israel sei, auch der beste arabische Patriot wäre. Haß auf Israel war in den vergangenen

Jahren das einzige, worin sie übereinstimmten, und jeder arabische Führer, der ein glaubwürdiges oder entgegenkommendes Wort wagte, wäre von seinem eigenen Volk hinweggefegt worden. Oder wenn seine Leute sich nicht spontan erhoben hätten, hätte schon ein anderer arabischer Führer dafür gesorgt, ob sie es wollen oder nicht. Nasser machte manchmal z. B. den Eindruck, als ob er das Israel-Problem satt habe und sich lieber auf andere Probleme konzentrieren wollte, um seine verlorene Position in der arabischen Welt und in der Weltpolitik wieder zu erringen. Er konnte es nicht tun. Er war ein Gefangener seiner eigenen gesammelten Reden. Wie bereit er auch gewesen sein mochte, um zuzugeben, daß drei Niederlagen genug seien und schließlich vorläufige Arrangements mit Israel getroffen werden sollten, so wäre dies ein Luxus gewesen, den er sich nicht hätte leisten können. Vor Jahren bezeichneten ihn die Syrer als Verräter, weil sie meinten, er sei Israel gegenüber zu entgegenkommend. Er konnte dies nicht noch einmal riskieren. Daß er nach der Niederlage an der Macht blieb, war wunderbar genug. Aber er wußte, daß Taten in der arabischen Welt weniger als Worte zählen: Er konnte es sich leisten, Kriege zu verlieren, er konnte es sich aber sicherlich nicht leisten, in seiner Tonart weniger schrill zu sein. Rhetorik ist wichtiger als Strategie.

Ich habe die offiziellen und inoffiziellen Meinungen und Haltungen der Leute in Israel, mit denen ich sprach, ausführlich zitiert. Aber wie steht es mit der Haltung der israelischen Regierung? Das ist die große Frage. Die israelische Regierung schweigt. Nun, kein Israeli schweigt jemals; in diesem Fall bedeutet »Schweigen«, daß sie zuviel geredet haben. Verschiedene Mitglieder der Großen Koalition hatten in so vielen Zungen geredet und viele völlig entgegengesetzte Ansichten geäußert, daß eine Zeitlang höchste Verwirrung herrschte. Minister mußten häufig erklären, daß sie als Privatperson und nicht als Mitglied der Regierung gesprochen hatten – eine absurde und peinliche Situation. Schließlich verbot der Ministerpräsident seiner zügellosen und schwatzhaften Mannschaft jegliche Art von Meinungsäußerung und stellte klar, daß lediglich er und sein Außenminister zu diesem Gegenstand etwas zu sagen hätten. Nach dieser strengen Warung schwiegen Levi Eschkol und Abba Eban und die anderen, denen es verboten war zu sprechen; und die in keiner Weise etwas zählten, sprachen im Flüsterton weiter.

Die israelische Regierung hat gute Gründe, zu diesem Thema zu schweigen.

Die Israelis glauben, daß es nicht opportun sei, ihre Friedensforderungen auf den Tisch zu legen, bevor sich nicht die andere Seite überhaupt bereit erklärt hat, sich zu Verhandlungen an einen Tisch zu setzen. Wenn Israel erklärte, daß es große Teile der besetzten arabischen Gebiete behalten wollte, hätten die Araber einen prächtigen Grund für einen öffentlichen Aufschrei, sie würden die Aufmerksamkeit auf Israels imperialistisches Gehabe lenken und würden sich aller Wahrscheinlichkeit nach von den Verhandlungen zurückziehen. Wenn andererseits die Israelis die tatsächlichen Grenzen ihrer Konzessionsbereitschaft aufdeckten – angenommen, sie seien äußerst entgegenkommend –, würden sie alle ihre Verhandlungsfähigkeit schon vorher verlieren. Sie säßen in der schwächsten Verhandlungsposition. Die Weigerung, weitere Konzessionen zu machen, würde sie als hartnäckig und starr zeigen, wenn auch, gäben sie ihre Maximalkonzessionen bekannt, weitere Konzessionen unmöglich wären. Israel – darüber besteht nahezu einmütig Übereinstimmung – kann nicht seine Karten auf den Tisch legen, bevor nicht die andere Seite erklärt, daß sie überhaupt Karten spielen will. Erst zusammensetzen, dann sprechen wir! Das meinen die Israelis.

Sehr gut, sagen einige Kritiker der Regierung. Ihr braucht eure Absichten nicht öffentlich zu erklären, aber ihr müßt über sie endlich einmal vor euch selbst im klaren sein. Gebt öffentlich bekannt, daß ihr wißt, was ihr wollt. Aber die israelische Regierung kann aus einem einfachen Grund eine solche Erklärung nicht abgeben: Sie hat keine Vorstellung davon, was sie will. Eine ausführliche Diskussion über dieses Thema würde die Regierung stürzen und die Große Koalition beenden. Alle Politiker wissen, daß eine solche breitangelegte Koalition in Friedenszeiten unrealistisch ist; sie darf nicht allzulange dauern. Doch sie hält. Und warum sollte sie künstlich eine große politische Krise verursachen, um damit Verhandlungen zu ermöglichen, die vielleicht doch nie kommen? Warum aber eine wirkliche und sofortige Krise schaffen um einer möglichen, aber unwahrscheinlichen und weit entfernten Friedenskonferenz willen?

Beide Seiten glauben, daß die Zeit für sie arbeitet. Aber ständige Grenzzwischenfälle (Vergeltungsangriffe und der Bombenangriff auf Salt bei Amman; eine schwere Sprengkörperexplosion im jüdischen Teil Jerusalems im November 1968 und die sich steigernde Guerilla-Aktivität) zeigen, daß die Zeit für niemanden arbeitet. Sie arbeitet gegen beide. Die Zeit macht beide Seiten unversöhnlicher. Und noch mehr Unversöhnlichkeit kann man in dem israelisch-arabischen Gespräch wahrlich nicht gebrauchen.

Die Orthodoxen

Eine alte Plage Israels ist die politische Macht der orthodoxen Juden. Vor zehn Jahren, als die Hauptstadt noch geteilt war, fuhr ich einmal durch Jerusalem. Wir hatten die eleganten und sauberen Straßen der City verlassen und fuhren durch ziemlich schmutzige Viertel, in denen sich Menschen drängten in langen, schwarzen Kaftanen, mit runden Hüten und Schläfenlocken und in der Regel mit mürrischen und feindseligen Gesichtern. Eine Dame in dem Auto, die von dem plötzlichen Umgebungswechsel betroffen war, sah unbehaglich um sich und rief dann, als sie das Rätsel gelöst hatte, aus: »Aha, ... Wir sind jetzt im jüdischen Viertel von Jerusalem.«

Sie hatte recht. Genau dort befanden wir uns. Um die Situation zu verstehen, müssen wir uns an die Rolle der orthodoxen Juden, meistens aus Rußland oder Polen, in der israelischen Gesellschaft erinnern. Diese polnischen Juden sind in gewisser Weise der beste Teil des Judentums: sie sind ihrer Religion ergeben, sie sind tapfer, sie sind unbeugsam. Sie wurden durch Jahrhunderte unmenschlich verfolgt, blieben aber dem Glauben ihrer Väter treu. Sie wurden angespuckt, ausgelacht, ausgebeutet, und viele von ihnen wurden ermordet, doch sie taten weiterhin das, was sie für richtig hielten, sie dienten weiterhin einem Gott, der ihnen wenig Liebe und Zärtlichkeit erwies. Ihr Überleben machte sie stark und edel, aber auch bigott, intolerant und selbstgerecht.

Als sie in Israel ankamen, konnten sie ihre Lebensweise nicht von einen Tag auf den anderen ändern. Sie waren Objekt der Verfolgung, sie waren durch die Verfolgung gewachsen, sie brauchten die Verfolgung. Es war eine Herausforderung, der sie immer in glänzender Haltung begegnet waren, von der Zeit der Pharaonen bis zum Warschauer Getto. So brauchten sie sogar in Israel den Antisemitismus; und was sie brauchten, erhielten sie.

Es scheint, daß jede Nation – jede menschliche Gruppe – ihre Juden braucht, auf die sie eine gewisse Ladung Schmutz und die gemeine Art Aggression abladen kann; und die Juden wurden für diese Rolle vor Jahrhunderten auserwählt, weil Juden für die Rolle von Juden ausgesprochen geeignet sind. Aber dieser Zwang, eine Minderheit zu verfolgen, existiert auch beim Juden, einfach deshalb, weil sie weder schlechtere noch bessere Menschen sind. Der Jude ist ein Mensch wie jeder andere – eine Theorie, die von der Welt viele Jahrhunderte zurückgewiesen wurde. Die modernen, hart arbeitenden, europäisierten, antireligiösen Israelis wurden gereizt von diesen blassen, unsportlichen Leuten, die viel lasen und den Talmud auslegten und nichts anderes taten. Sie sahen aus, als ob sie gerade den Seiten des *Stürmers* entsprungen seien. Es war unfair, gereizt zu sein, aber die jüdischen Antisemiten wie alle anderen rationalisierten und glätteten ihre Gereiztheit, um sie für ihre Zwecke auszunutzen.

Die Generallinie hieß: die Fanatiker waren faul, sie nahmen mehr von der Gemeinschaft, als sie gaben, sie drückten sich vorm Wehrdienst usw. In Wirklichkeit sind viele der orthodoxen Juden recht fleißig. Die Beschäftigung mit religiösen Fragen wird schließlich in allen zivilisierten Ländern als legitim anerkannt. Viele orthodoxe Juden tuen auf jeden Fall mehr als nur den Talmud lesen, sie arbeiten im Geschäftsleben, in der Industrie und in verschiedenen Berufen, und während einige versuchen, den Wehrdienst zu vermeiden, dienen viele andere in der Armee. (Viele von ihnen weigern sich aus Überzeugungsgründen, sie erkennen den zionistischen Staat nicht an. Zionisten hätten den jüdischen Staat nicht gründen sollen, diese Aufgabe mußte dem Messias überlassen werden. Diese und manche andere Auffassung der Fanatiker entrüstet die modernen Israelis.) Aber wie steht es mit der Toleranz? Es ist leicht, dort tolerant zu sein, wo man keine Gefühle investiert. Alle Juden forderten seit Generationen für sich Toleranz. Warum wollen sie diese nicht gegenüber ihren Mitjuden üben?

Der Ärger beginnt, wenn diese Leute sich nicht mit der freien Religionsausübung zufriedengeben, sondern ebenso auf politische Macht bestehen. Die politische Konstellation unter Ben Gurion – ebenso wie Ben Gurions Konzentration auf andere und wichtigere Aufgaben – begünstigte sie. In verschiedenen Koalitionen brauchte die Mapai die Unterstützung der religiösen Parteien, mit ihnen besaß sie die Mehrheit in der Knesset. Ihre Unterstützung mußte mit Konzessionen erkauft werden. Um dem Ganzen die Krone aufzusetzen, bestehen viele amerikanische Juden, die eine Menge Geld nach Israel gegeben haben, darauf, in Israel einen frommen, religiösen Staat zu sehen. Viele dieser Amerikaner sind selber nicht gerade religiös, aber sie meinen, Israel solle es sein. Das Ergebnis davon ist, daß Israel in gewisser Hinsicht ein rückständiges Land wurde. Es gibt keine standesamtliche Trauung in Israel, ein Jude kann keine Nichtjüdin heiraten, ein Priester darf keine geschiedene Frau heiraten (ein Richter des Obersten Gerichtshofes mußte nach Amerika gehen, um zu heiraten, d. h., er brach das Gesetz). Die gesamte Rechtsprechung in Ehefragen liegt in den Händen der Rabbinate, die in einem Geiste agieren, der schon zu Jesu Zeiten unmodern war, nur koscheres – und deshalb teureres – Fleisch ist gleich verfügbar, der jüdische Sabbat, der den öffentlichen Verkehr nahezu überall zum Erliegen bringt, läßt einen deutschen Kleinstadtsonntag geradezu lebhaft erscheinen. Die Fanatiker behaupten, es sei abscheulich, wenn der Gang zur Synagoge von dem Lärm der die Sabbat-Ruhe störenden Autos und Busse beeinträchtigt würde. Sie finden nichts Abscheuliches dabei, wenn sie der großen Mehrheit der Bevölkerung ihre Lebensweise aufzwingen. Die Fanatiker behaupten, sie handelten im Namen Gottes, und Gott kann leider nicht gegen Unbilligkeiten und Ungerechtigkeiten, die in seinem Namen begangen werden, protestieren. In Israel kann man der ehrlichen und festen Überzeugung sein, daß Gott nicht existiert und der Sabbat dem Vergnügen und der Wiederherstellung der Kräfte dienen solle. Aber

solche Ansichten werden als sündig und unmoralisch ge-
brandmarkt, und fünfzehn Prozent der Bevölkerung
wird erlaubt, den Rest zu terrorisieren und ihm eine Lebensweise aufzuzwingen, die er verabscheut.

Die politische Situation ändert sich langsam, und die
Mizrachi – die Fanatiker – verlieren an Boden. Aber
selbst, wenn sie keine Konzessionen mehr erhalten, kann
es sich keine politische Partei leisten, das alte System an-
zutasten und das Wespennest aufzustören. So gibt es
weiterhin die veralteten Heiratsgesetze, und die Sams-
tags-Religionsgesellschaft – um sie einmal so zu nennen –
wird immer noch herrschen.

Es gibt zwei Einwände gegen diese religiöse Tyrannei.
Jüdischer Klerikalismus und jüdische Bigotterie sind in
keiner Weise liebenswerter oder tolerierbarer als Klerikalismus und Bigotterie im Katholizismus, in der evan-
gelischen Kirche oder im Schintoismus; das gilt gleichermaßen für kommunistische oder antikommunistische
Bigotterie. Zweitens ist die Behauptung, sie sei ein Teil
jüdischen Lebens, ein gefährliches Argument. Israel
wurde gegründet, um verfolgten Juden eine Zuflucht und
eine Heimat zu geben, ihnen die Chance zu bieten, wie
andere Nationen zu leben. Es wurde nicht gegründet, um
jüdischer klerikaler Intoleranz und Bigotterie zum Durch-
bruch zu verhelfen. Die Legalisierung der Überlegenheit
des Judentums über andere Religionen und das Verbot,
daß Juden Christen heiraten dürfen, sind der erste
Schritt, um ein neues Südafrika zu errichten. Dieser Ausdruck »neues Südafrika« stammt übrigens nicht von mir,

ich zitiere einen klarsehenden, gemäßigten und nicht gerade antireligiösen israelischen Professor. »Wir wollen keine Herrenrasse werden«, fügte er hinzu. »Wir waren lange genug das Auserwählte Volk. Gott sollte jetzt ein anderes wählen.«

Es gibt einen Unterschied zwischen einem *jüdischen Staat* und einem *rein jüdischen Staat*. Ein jüdischer Staat ist eine Notwendigkeit und eine willkommene Ergänzung unserer modernen Welt, ein rein jüdischer Staat ist der erste Schritt auf einem glatten Abhang.

Seltsamerweise sind beide Probleme, das Problem der besetzten Territorien und das des religiösen Drucks, ein und dasselbe. Im ersten Fall muß sich nationale Intoleranz, im zweiten religiöse Intoleranz mit den Anforderungen der modernen Welt arrangieren. Man hat in Israel das Gefühl, daß das Arrangieren mit dem arabischen Nationalismus nicht wesentlich schwieriger ist, als sich mit den religiösen Fanatikern zu arrangieren. Wenn man sich einige der Fanatiker angehört hat, kommt man tatsächlich zu dem Schluß, daß Nasser, Hussein und sogar die Syrer verglichen mit den Rabbis wohltuend verständnisvolle Menschen sind.

Ein Rassenproblem

Als Israel gegründet wurde – und sogar in den Jahren davor – gab es viele Akademiker, die mit ihrer Universitätsausbildung in ihrem Geburtsland nichts anfangen konnten. In der gleichen Situation befanden sie sich jetzt in Israel. In Europa durften sie ihre Berufe häufig nicht ausüben, weil sie Juden waren, und in Israel bestand dafür kein Bedarf. Israel brauchte Bauern, Elektriker, Maurer und Erdarbeiter. Rechtsanwälte, Herzspezialisten, Steuerprüfer und Philologen gab es mehr als genug.

»Man erzählte sich«, schrieb ich in meinem früheren Buch, »folgende Geschichte: Als Nathanya, eine deutsche Siedlung nördlich von Tel Aviv, gebaut wurde, sah ein Besucher eine lange Menschenkette, die sich Steine zureichte. Zur gleichen Zeit hörte er ein eigenartiges Gemurmel. Er trat näher und hörte, wie jedes Glied der Kette beim Empfangen und Weiterreichen eines Steines sagte: »Danke, Herr Doktor – bitte, Herr Doktor – danke, Herr Doktor – bitte, Herr Doktor.«

Diese Ära des »Danke, Herr Doktor« wurde durch den Einfluß der arabischen Juden beendet. Die Yemeniten waren 1947 die ersten. Der Yemen – rückständigster arabischer Staat – beherbergte eine große jüdische Bevölkerung. Ihre Vorfahren zogen 42 Jahre vor der Zer-

störung des ersten Tempels (586 v. Chr.) in den Yemen.
1947 hörten sie von der Gründung des neuen jüdischen
Staates, wanderten zu Fuß durch die arabische Wüste
und wurden von Aden aus nach Lydda geflogen (»Operation Fliegender Teppich«). Sie waren religiös und so
arm und unwissend wie der ärmste arabische Fellache,
aber sie waren intelligent und lernten schnell. Sie arbeiteten als Träger und Boten, soweit es ihnen ihre schwache
Konstitution gestattete, sie eröffneten Bazars und wurden kleine Händler. Sie hielten zusammen, waren untereinander loyal, bildeten eine politische Partei und verloren allmählich ihre Religiösität; sie fühlten, daß in
Israel die Religion nicht länger notwendig war.
Viele andere arabische Juden folgten: aus Ägypten, dem
Irak und Nordafrika, wo sie (mit Ausnahme in Marokko) unterschiedlich hart verfolgt wurden. Die arabischen Regierungen erklärten gelegentlich, daß sie, obwohl sie nichts gegen die Juden hätten – sie liebten sie
geradezu –, Todfeinde der Zionisten wären. Sie vergaßen hinzuzufügen, daß ihrer Ansicht nach ein Jude ein
Zionist war und ein Zionist ein Jude. In vielen arabischen
Ländern existiert eine diskriminierende Rechtsprechung
für Juden, und darüber hinaus diskriminiert man sie
ohne gesetzliche Grundlage. Nasser gab zu, daß er während des Zweiten Weltkrieges mit den Deutschen sympathisierte, er bezog sich oft auf die *Protokolle der Weisen von Zion* und bezeichnete sie als ein wichtiges, gültiges
und enthüllendes Dokument. Mohammedanische Araber
gerierten sich als treue Kämpfer der Christenheit und er-

klärten, die Juden müßten für die Kreuzigung Christi büßen. Als der Papst seine Meinung änderte und die Juden lossprach, warfen mohammedanische Araber dem Papst vor, er würde seine christlichen Pflichten vernachlässigen. Als Folge der arabischen Propaganda und Verfolgung wanderten viele arme, ungebildete und des Lesens und Schreibens unkundige Juden nach Israel aus. Sie kamen, wann immer sie die arabischen Länder verlassen konnten. Um 1966 war fast ein Drittel der israelischen Bevölkerung in Asien und Afrika geboren, aber zu ihnen gesellte sich eine beträchtliche Zahl in Israel geborener Juden. Soweit es das ethnische Bevölkerungsbild betrifft, verliert Israel seinen europäischen Charakter weitgehend, und die Statistiker sagen, daß die Ostjuden bald die Mehrheit bilden werden.

Ursprünglich stellte diese Drohung – wenn es eine Drohung ist – ein Rassenproblem dar. Die fünfziger Jahre, besonders die Mitte des Jahrzehnts, waren für Israel eine schlimme Zeit. Obwohl sich die Lebensbedingungen verbessert hatten, machte sich eine Desillusionierung breit, der Pioniergeist schien auszusterben, viele Israelis reisten in ruhigere und sicherere Länder (viele schienen nur wegen eines Passes nach Israel zu kommen), und das Land machte einen unsicheren und unglücklichen Eindruck. Obendrein schuf der Einfluß der dunkelhäutigen arabischen Juden ein äußerst peinliches Rassenproblem für Israel. Diese Zeit der Depression dauerte ungefähr fünf Jahre: die Stimmung stieg, ein großer Teil der früheren Begeisterung kehrte wieder. Der Wechsel hatte viele

Ursachen, aber man sollte hier ruhig sagen, daß zwei
Männer für Israel mehr getan haben als sonst jemand.
Diese beiden sind nicht Staatspräsident Weizmann und
Ben Gurion, sondern Adolf Hitler und Nasser. Niemand
behauptet, daß ihr Beitrag gewollt war, noch weniger,
daß er Anerkennung verdient. Doch die Tatsache bleibt,
daß ohne Hitlers schreckliche Verbrechen Israel heute
nicht existieren würde, ohne Nassers und seiner Vorgänger Dummheiten und Fehler wäre Israel ein winziges,
sich mühsam haltendes, kaum lebensfähiges Land innerhalb der Grenzen, die 1947 von den Vereinigten Nationen in einem Teilungsplan festgesetzt wurden.

Aber, wie ich schon erwähnte, der Rassenkonflikt war in
den fünfziger Jahren eine Gefahr. Die Ostjuden beklag-
ten sich, daß sie wie Bürger zweiter Klasse behandelt
würden, daß man ihnen untergeordnete Arbeiten gab
und sie in der Armee nicht vorankommen konnten, daß
Mischehen selten waren und daß sie die Opfer einer
Apartheid würden.

Die europäischen Juden versuchten, dieses Problem zu
vertuschen, es roch nach Rassismus und war höchst peinlich. Der Einfluß der Ostjuden – so sahen es viele Leute –
drohte, Israel zu einem weiteren Staat des Nahen Ostens
mit einer armen, ungebildeten und rückständigen Bevölkerung werden zu lassen. Sie befürchteten ebenso ein
Absinken der Moral in der Armee, wenn zu viele ihrer
Soldaten Ostjuden wären.

Die Wahrheit ist, daß Ostjuden nicht wegen ihrer Rasse,
sondern wegen ihrer gesellschaftlichen Stellung diskrimi-

niert wurden. Die Kluft zwischen reich und arm und
– noch wichtiger – zwischen gebildet und ungebildet
konnte nicht über Nacht geschlossen werden, nicht einmal, wenn alle Betroffenen das Glück hatten, Juden zu
sein. Ostjuden waren in der Armee meistens Gemeine,
und nur wenige von ihnen rückten in den hohen Rang
eines Korporals (Obergefreiter) auf. Analphabeten konnten nicht zum Generalleutnant befördert werden. Dies
galt auch für den Arbeitsmarkt. Ungelernte Arbeiter
müssen Lasten tragen, Kartoffeln schälen, Straßen kehren
und andere einfache Arbeiten ausführen und können
nicht zu leitenden Direktoren großer Gesellschaften er-
nannt werden. Das sind Fakten, aber als weitere schmerz-
liche und störende Tatsache schien sich immer mehr eine
rassische Spaltung abzuzeichnen.

Die Zeit verging. Viele Einwanderer erhielten irgendeine
Ausbildung, und natürlich waren nicht alle Analphabeten. Der Zugang zu Bildungsmöglichkeiten wurde
ihnen nicht verwehrt, Schulen und andere Einrichtungen
standen ihnen offen. Niemand wurde bei einer Bewer-
bung abgelehnt, weil er aus Tunis oder dem Irak kam,
niemandem wurde verweigert, die Universität zu besuchen, weil er statt aus Wien aus Tripolis kam. Die Kluft
wurde kleiner, verschwand aber nicht. In einer Kolonne
von Erdarbeitern sieht man noch immer mehr arabische
Gesichter als europäische, im Generalstab gibt es nur
europäische Gesichter. Es gibt Unterschiede im Lebensstandard: der durchschnittliche Ostjude hat einen niedrigeren Standard als der westliche Jude. Die Armee

jedoch wirkt ausgleichend: alle männlichen wie weiblichen Bürger dienen, und die gemeinsame Erfahrung dieser Jahre prägt sie.

Der Sechs-Tage-Krieg wirkte sich in dieser Hinsicht besonders günstig aus. Die Ostjuden bewiesen, daß sie tapfere und disziplinierte Soldaten sind. Ihr Ruf ist einwandfrei und ihr Ansehen stieg. Ich hörte so oft und so begeistert ihr Lob singen, daß ich den festen Eindruck gewann, die Ostjuden wären endlich in Israel akzeptiert. Und befriedigender muß für sie noch dazu sein, daß sie dies durch ihre eigenen Leistungen erreicht haben.

Der Krieg hatte noch eine Wirkung. Mit den besetzten Gebieten gelangte fast eine weitere Million Araber unter israelische Verwaltung. Die arabische Sprache wurde sogar noch wichtiger als vorher, und Arabischkenntnisse waren von großem Wert. Da alle Ostjuden Arabisch sprechen, kam dies vielen zugute. Gleich wichtig ist: die Ostjuden, ganz sicher die älteren unter ihnen, ähneln tatsächlich den Arabern in Bräuchen, im Aussehen und in ihrer Denkweise. Ein israelischer Araber, ein sehr loyaler und angesehener Bürger, erzählte mir: »Dieses Land ist nicht zwischen Juden und Arabern geteilt, die Trennung verläuft zwischen Ostjuden und europäischen Juden.«

Dies ist zum Teil sehr vereinfacht, zum Teil Wunschdenken auf seiner Seite. Es enthielt jedoch mehr als ein Körnchen Wahrheit. Wenn ein alter irakischer oder marokkanischer Jude ein arabisches Haus auf dem Westufer betritt, fühlt er sich zu Hause. Er raucht mit seinen arabischen Gastgebern die Nargileh, und wenn er einen

Araber aus Bagdad oder Casablanca trifft, hat er mit ihm mehr gemeinsam als mit einem Juden aus Leeds, Warschau oder San Francisco.

»Meine Mutter verbarg ihr Gesicht sogar vor nahen Verwandten, aber meine Tochter zeigt ihre Schenkel allen und jedem. Wo soll das hinführen?« Diese Bemerkung eines Arabers zu einem Ostjuden über Miniröcke bedeutet für irgendeinen Israeli europäischer Herkunft nichts. Ein arabischer Jude wird sie als Stoßseufzer verstehen und von Herzen teilen.

Die Ost-West-Kluft schließt sich langsam, sehr langsam. Mischehen gibt es, aber immer noch relativ selten. Wenn zum Beispiel ein europäischer Jude auf einer Party mit einem jemenitischen Mädchen erscheint, werden sie freundlich empfangen, wenn sie aber gegangen sind, werden sie ein »Fall«, der diskutiert und kommentiert wird.

Werden die Ostjuden Israel zu einem nahöstlichen Staat machen? Die Modeantwort heißt: Ja, wenn Israel Glück hat. Die Leute bestehen darauf, daß Israel ein nahöstlicher Staat werden muß. Ein mediterraner Staat vielleicht, aber wenn die Araber, was immer sie über den westlichen Imperialismus sagen mögen, unbedingt Europäer werden wollen, warum sollte der einzige europäische Staat im Nahen Osten ein nahöstliches Land werden müssen?

»Aber die Hautfarbe!« flüstern manche Israelis.

»Sollen wir in fünfzig Jahren alle braun sein?«

Nun, ich fände es gar nicht so übel, braun zu sein. Es ist eine sehr hübsche Farbe, und wenn solch eine kleine Metamorphose der ganzen Menschheit widerfahren würde, befreite sie uns von dem größten und noch dazu äußerst sinnlosen Problem – und wir sähen auch viel besser aus.

Wie man zum Aggressor wird

Im Februar 1964 legte Präsident Nasser die Haltung der ägyptischen Politik dar:
»Die Entwicklungsmöglichkeit der Zukunft ist der Krieg mit Israel. Wir werden die Zeit, wir werden den Ort bestimmen.«
Er hielt sein Wort: Er bestimmte Zeit und Ort.
General Abdulla Ziad, der syrische Verteidigungsminister, erklärte im selben Jahr:
»Die syrische Armee steht wie ein Berg, um Israel zu zermalmen und zu vernichten. Diese Armee versteht, ihre Feinde zu schlagen.«
Am 25. Mai 1967 verkündete Radio Kairo:
»Das arabische Volk ist fest entschlossen, Israel von der Landkarte zu streichen und das Ansehen der Araber in Palästina wiederherzustellen.«
Nach der Unterzeichnung des Verteidigungspaktes mit König Hussein erklärte Nasser am 30. Mai 1967 den Zweck dieses Abkommens:
»Diese Tat wird die Welt verblüffen. Heute wird man wissen, daß die Araber zum Kampf bereit sind. Die Stunde der Entscheidung ist gekommen.«
Am 4. Juni, einen Tag vor Ausbruch des Krieges, wandte sich Nasser über Radio Kairo direkt an Israel:

»Unsere Armeen stehen sich gegenüber, und wir brennen darauf, die Schlacht zu beginnen und Vergeltung zu nehmen. Die Welt wird erkennen, was die Araber sind und was Israel ist.«

Zwanzig Jahre lang, Tag und Nacht, ergingen sich arabische Politiker, Radio und Presse in Prahlerei und blutrünstigen Drohungen dieser Art. Vor mir liegen ein paar hundert Zitate – und sie sind nur ein winziger Teil aller Schreckensbotschaften. Ich führe noch einige an, weil ich meine, der Leser sollte sich den Geist dieser Äußerungen tief zu Gemüte führen, um der Stilschönheiten und der vortrefflichen Begeisterung gewahr zu werden:

»Dies wird ein bedeutsamer Vernichtungskrieg sein, von dem die Geschichte wie von den mongolischen Massakern und den Kreuzzügen sprechen wird.« (Azzem Pascha, Generalsekretär der Arabischen Liga, bevor die Araber 1948 geschlagen wurden.)

»Mit der Forderung der Rückgabe Palästinas an die Flüchtlinge beabsichtigen die Araber, als Herren und nicht als Sklaven in ihre Heimat zurückzukehren. Deutlicher, sie beabsichtigen den Staat Israel aufzuheben.« (Mohammed Salah od Din, ägyptischer Außenminister, Oktober 1949.)

»Wir wollen eine entscheidende Schlacht, um diesen Krankheitsherd Israel zu vernichten.« (Nasser, 1957.)

»Wenn die Araber nach Israel zurückkehren, hört Israel auf zu bestehen.« (Nasser, 1961.)

»... der Abschaum der Menschheit, eine Bande von Kriminellen, umgeben von neunzig Millionen Arabern, bereit, sie zu zertreten und auszulöschen, eine schwarze Kolonie – der geeignete Moment kommt eines Tages, um Israel aus der Welt zu entfernen.« (*Al Gomhouriya*, Kairoer Tageszeitung, April 1961.)

Ich werde es müde und zweifellos auch der Leser. Nur noch zwei weitere Zitate; eines von Achmed Schukeiri, dem Führer der Palästinensischen Befreiungsfront und großmäuligsten Aufschneider von allen, der ein oder zwei Tage vor Ausbruch des Sechstagekrieges seine Freunde und einige arabische Korrespondenten in das Meerbad Tel Avivs zum Kaffee einlud, seine Verabredung jedoch nicht einhalten konnte. Am 16. Mai sagte er:

»Wir schicken die *Fedajin* (seine Guerillakämpfer) in das besetzte Land, eine Gruppe nach der anderen, so daß sie die israelische Bande ausrotten können . . .«

Das letzte Zitat stammt von dem Rundfunksender *Stimme der Araber*. Hier hieß es am 17. Mai 1967:

»Ägypten ist bereit, sich mit allen seinen Mitteln – menschlichen, wirtschaftlichen und wissenschaftlichen – in einen totalen Krieg zu stürzen, der das Ende Israels sein wird.«

Heute hört sich das alles nur noch pathetisch und komisch an, nicht schreckenerregend. Die syrische Armee, jener Berg, konnte nicht schnell genug die Beine unter die Arme nehmen, sie verließ eine der stärksten Verteidigungslinien der Welt. Jene anderen Araber, die »darauf brannten zu kämpfen«, kämpften überhaupt nicht, sondern flohen und ließen die modernsten russischen Kriegsausrüstungen stehen – sogar riesige Selbstfahrlafetten, manchmal noch mit der Schutzplane über den Rohren. Die neunzig Millionen, die es so eilig hatten, sich in einen totalen Krieg zu stürzen, jammern jetzt über Israels *zahlenmäßige Überlegenheit.*

Diese Propaganda hörte sogar nach dem Krieg nicht auf. Arabische Zeitungen schreiben heute ironisch: »Die Juden prahlen immer noch mit einem jüdischen Sieg und einer arabischen Niederlage« – als ob die Absurdität der Behauptung nicht augenscheinlich wäre. Sofort nach der Niederlage (am 11. Juni 1967) erschien in der Zeitung *El Achram:*

»Israel hält diesen Krieg für die letzte bewaffnete Auseinandersetzung, aber er war nicht mehr als ein Vorläufer eines neuen Krieges, der gefährlicher sein wird als irgendein früherer, den von 1967 eingeschlossen. Dieser neue Krieg wird unter der Flagge der Einheit aller arabischen Streitkräfte geführt werden, denn die Araber haben – endlich – aus der Vergangenheit gelernt.« Zu den Vorkriegsprahlereien und -drohungen der Araber gesellte sich jetzt sogar noch deutlicher die Aufhetzung zum Massenmord. Die Zeitungen waren voll von Karikaturen, in denen die Juden als häßliche, minderwertige, hakennasige Feiglinge (im *Stürmer*stil) dargestellt wurden, die von mächtigen und unbezwinglichen arabischen Helden überwältigt, erschlagen, ausgeweidet wurden. Israel war ein kleiner Wurm, den der riesige arabische Haifisch verschlingt. Israel war der widerwärtige, alte, hakennasige Hausierer, den der mächtige Stiefel eines glorreichen arabischen Kriegers in den Hintern trat. Eine gewaltige Araberhand sah man einen winzigen, feigen jüdischen Soldaten zerquetschen. Eine andere Karikatur zeigte drei Politiker – Präsident Johnson, Harold Wilson und Levi Eschkol –, die einander auf die Schultern kletterten, aber nicht einmal damit dem großen arabischen Soldaten, der sie verächtlich lächelnd beobachtete, bis zum Gürtel reichen konnten. Arabische Kanonen zerfetzten erbärmliche *Stürmer*juden. Auf unzähligen Bildern lynchten Araber schreckensbleiche Juden oder brachten sie auf andere Art und Weise um; abstoßend aussehende amerikanische Bankiers mit Zylinderhüten auf dem Kopf schauten ängstlich zu.

Aber sogar in dieser Kampagne brauchten sie Hilfe. Sie erfolgte. Die Sowjetunion braucht von den Arabern auf dem Gebiet skurriler Obszönität nichts zu lernen. Die Russen produzierten brauchbares Material, um ihre Alliierten zu ermutigen und aufzuhetzen, bevor diese von ihnen im Stich gelassen wurden.

Die Karikaturen in der sowjetischen Presse waren ebenso schlecht gezeichnet, ebenso witzlos und – was noch wichtiger ist – ebenso aufreizend und blutrünstig wie die ihrer arabischen Partner. Sie waren in bester Nazi-Tradition eindeutig antisemitisch, aber mit einer besonderen Verzierung: die sowjetischen Karikaturen beschuldigten die Juden tatsächlich, die geistigen Erben Hitlers, ihres Henkers, zu sein. Eine dieser russischen Zeichnungen zeigt einen häßlichen Juden, der sich tief und ehrfurchtsvoll vor einem Nazi-Stiefel verbeugt, ihn praktisch küßt. Die

Sowietskaja Rossia veröffentlichte am 21. Mai 1967 folgende Notiz:

>»Aus Tel Aviv kommen Verlautbarungen, daß Syrien für die Aktivität der Störungsgruppen verantwortlich sei, die angeblich von syrischem Gebiet aus operieren. Diese Gruppen sind reine Hirngespinste.«

Aber Monate zuvor (im Januar 1967) gab die Kairoer Presse selbst zu, sogar mit einem gewissen Stolz, daß die Guerillas – die jetzt Störungsgruppen heißen – nicht »angeblich« operieren, noch solche eindeutige Hirngespinste seien:

>»Es scheint, daß der Glaube, Syrien unterstütze die Fedajin und die Infiltratoren, Israel schlaflose Nächte bereitet und immer wieder die syrische Grenze angreifen läßt. Syrien hat diese Tatsache weder verheimlicht noch verleugnet.«

Aber wenn die gesamte israelische Presse diesen Artikel übersehen hätte oder sich vier Monate später nicht mehr daran erinnern konnte, sollte sie sich gewiß an die stolze, oben zitierte Erklärung Schukeiris fünf Tage vor der sowjetischen Erklärung erinnern, in der behauptet wurde, daß die Palästinensische Befreiungsfront Fedajin-Gruppen einschleuste, eine nach der anderen, um die »israelische Bande zu vernichten«.

Arabische Drohungen wurden von kriegsähnlichen Handlungen begleitet. Zusätzlich zu den Fedajin-Überfällen wurde die Welt Zeuge der Schließung der Straße von Tiran, der Unterzeichnung des Verteidigungspaktes zwischen Ägypten und Jordanien, dem sich später der

Irak anschloß (»die Araber sind kampfbereit«) und dem Aufmarsch riesiger Armeen entlang der israelischen Grenzen.

»Wie wird man dann Aggressor?« Das ist ganz einfach. Wenn man nicht geduldig und in respektvoller Ängstlichkeit auf die Zerstörung wartet; auf die Streichung von der Landkarte. Wenn man nicht darauf wartet, ein Opfer im mongolischen Massakerstil zu werden, vernichtet zu werden, liquidiert, ausgerottet, wie ein Wurm zertreten, gehenkt, zerfetzt und oder von Bajonetten aufgeschlitzt zu werden. Wenn man das alles nicht will, dann wird man zum Aggressor.

Einige britische Chronisten haben über diese Tage geschrieben: »Während dieser Zeit wurden die Israelis systematisch in eine Ausrottungsneurose hineingetrieben.«* Ein guter Ausdruck: Ausrottungsneurose. Manche Leute werden – es ist wahr – ein wenig nervös, wenn sie ausgerottet werden sollen. Und die Araber trompeteten es in vielen angeberischen Pamphleten in der ganzen Welt herum, daß sie dazu nicht nur entschlossen, sondern auch in der Lage seien. Ein ägyptisches Pamphlet versicherte seinen Lesern, daß Ägypten diesen Job alleine erledigen könne: Ägypten hätte eine Bevölkerung von 30,2 Millionen, Israel nur 2,6 Millionen, Ägypten hätte einen riesigen Haushalt, Israel einen erbärmlich kleinen. Ägypten förderte jährlich 7,2 Millionen Tonnen Erdöl, Israel keine einzige Tonne; Ägypten förderte 533 000 Tonnen

* Bill Hillier, *Israel and Palestine*, London 1968

Eisenerz, Israel nichts; auf eine israelische Mittelstrecken-
rakete kämen neun ägyptische, und Ägypten hätte auch
Langstreckenraketen, Israel dagegen nicht. Und so weiter – viele andere Punkte wurden aufgeführt, um zu beweisen, daß Ägypten alleine Israel von der Landkarte
streichen könnte. Und auf dem Papier war das nur zu
wahr.

Der entscheidende russisch-arabische Vorwand war der,
daß Israel sich darauf vorbereitet, Syrien anzugreifen.
Als Eschkol nach dem Empfang einer russischen Protest-
note den russischen Botschafter informierte, daß es keine
derartigen Pläne gab, und ihn bat, ihn an die syrische
Grenze, wo immer er wollte, zu begleiten, um sich selbst
zu überzeugen, daß dort alles ruhig wäre und es keinerlei
israelische Truppenkonzentrationen gäbe, antwortete der
Botschafter, ihn gingen die Tatsachen nichts an, er sei nur
beauftragt, die Ansichten seiner Regierung zu über-
mitteln.

Israel kann in vieler Hinsicht kritisiert werden – und ich
habe keinen Hehl daraus gemacht und werde es auch
nicht tun, was ich von bestimmten Aspekten seiner Politik halte. Aber sogar im Gaza-Streifen, wo ich einige ver-
bitterte, feindselige, zornige Araber, voll unversöhn-
lichen Hasses gegen Israel, fragte: »Wer begann den
Krieg?« antworteten sie grinsend und ohne einen Moment zu zögern: »Abdul Nasser.«

Rußlands Unterstützung für die Araber war entschei-
dend, aber in gewisser Hinsicht sind die Russen ein klei-

neres Problem als die Araber. Eine der vielen russischen Traditionen, an die sich die Welt allmählich gewöhnt hat, ist die, daß während der Herrschaft irgendeines »großen Bruders« die geringste Kritik an seinen meist fragwürdigen Ansichten dem Hochverrat gleichkommt. Dann kommt Großer Bruder II daher und erzählt uns, daß sein Vorgänger ein Pfuscher, ein krimineller Wahnsinniger und ein Feind der Arbeiterklasse war. Es stimmt, daß Großer Bruder II den Großen Bruder I durch dick und dünn unterstützt und tatsächlich einige seiner blutigsten Befehle ausgeführt hat – was soll's. Diese neue Situation dauert so lange, bis Großer Bruder II ausgebootet wird. Als dieses Buch geschrieben wurde, gab es zwei »Große Brüder«: den unfehlbaren Technokraten und den unfehlbaren Bürokraten. Zweifellos werden auch sie eines Tages von der Bühne verschwinden und von ihren Nachfolgern (die ihnen momentan treu dienen) als kriminelle Schwachköpfe bezeichnet werden. Dann mag es für Israel zu spät sein.

Die Araber auf der anderen Seite werden sich von dem Schlag, den sie erhielten, nicht so schnell erholen. Eine Niederlage erzeugt in vielen Fällen eine Doktrin der rassischen Überlegenheit. Dies geschah in einigen Nationen, die von den Türken geschlagen wurden, dies widerfuhr der Bevölkerung der amerikanischen Südstaaten, die im Sezessionskrieg eine Niederlage erlitten. Ebenso erging es den Deutschen nach dem Ersten Weltkrieg und den Afrikanern nach der Niederlage im Burenkrieg. Es scheint jetzt den Arabern zu widerfahren: sie müssen irgendwie ihre Scham kompensieren, da sie sonst unerträglich wäre. Wenn dieses Gefühl der Überlegenheit in irgendeinem Verhältnis zu dem Ausmaß ihrer Niederlage steht, sind die Araber im Begriff, *die* überlegene Rasse zu sein.

Die Israelis – obwohl Bescheidenheit und Takt nicht zu ihren Stärken gehören – weiden sich nicht an der arabischen Niederlage und reiten nicht darauf herum. Das ist in Ordnung und höchst lobenswert. Dadurch geraten alle diese Drohungen, Prahlereien und blutrünstigen Prophezeiungen in Vergessenheit. Sie wollen die Araber nicht unnötig reizen. Die Araber sind in der Tat eine ehemals große Nation – mit Möglichkeiten für eine neue große Ära, sie können auf große Taten in der Vergangenheit zurückblicken, aber heute leben sie in einem unwirklichen Phantasiereich. Dieses Schicksal teilen sie mit den Chinesen, die auch eine große Vergangenheit hatten und heute den anerkennenswerten (und gelegentlich unrühmlichen) Versuch machen, ihre frühere Bedeutung wieder zu erreichen. Sich nicht an den Wunden des Gegners zu weiden und sie nicht ständig aufreißen zu wollen, ist eine Sache, aber dieses ungeschickte Vergessenwollen ist etwas ganz anderes. Der Realität im Augenblick der Wahrheit ins Gesicht zu sehen, ist eine heilsame Erfahrung, welche die Araber noch zu ertragen lernen müssen. Die Vorstellung, unbedingt »das Gesicht wahren« zu müssen, und die pathologische Angst, ausgelacht zu werden, verdienen nicht viel Respekt und Bewunderung. Wer nicht ausgelacht werden will, soll sich nicht lächerlich machen.

Was sagen die Araber heute über ihre kriegstreiberische Propaganda? Nichts. Das heißt, nichts, solange sie es sich leisten können zu schweigen. Wenn man darauf dringt, winken sie geringschätzig ab. Dies ist wieder einmal ein Fall jüdischer Hysterie. Die Araber haben das in Wirklichkeit nicht so wörtlich gemeint. Leute aus dem Westen – von den Juden ganz zu schweigen – mißverstehen die arabische Rhetorik vollkommen. Die Araber geben zu, daß sie gern noch ein wenig blumiger daherreden als ein BILD-Reporter. Ein Freund von mir traf Nasser und stellte ihm diese Frage. Nasser war völlig außer sich. Er sagte, er hätte selbst Kinder und liebte alle Kinder, und wenn jemand behauptet, daß er wirklich darauf aus sei, die Juden aller Altersstufen und Geschlechter unterschiedslos zu ermorden, dann müsse der den Verstand verloren haben. Wenn die Araber von einem apokalyptischen Ausrottungskrieg sprachen und von Massakern, neben denen sich die mongolischen Blutbäder harmlos ausnehmen, dann meinten sie das rein metaphorisch, wirklich und wahrhaftig poetisch. Sie dachten nie daran, kleinen jüdischen Kindern und Frauen tatsächlich ein Leid anzutun. Wann immer Nasser sagte: »Israel wird aufhören zu existieren«, meinte er das politisch. Als Schukeiri erklärte, es würde nach dem damals bevorstehenden Krieg von 1967 nicht viele Überlebende geben, wollte er nur, daß U Thant sich wieder mit diesem Problem befassen sollte. In dem Hauptquartier der jordanischen Haschemiten-Brigade in der Nähe von Ramallah fanden die Israelis einige Akten, die Operationspläne für

Angriffe auf israelische Dörfer und Siedlungen enthiel-
ten. Ein Satz heißt: »Das Hauptquartier Westfront be-
absichtigt einen Überfall auf die Kolonie Motza durchzu-
führen, sie zu zerstören und alle Einwohner zu töten.«
Mit unseren angekränkelten und argwöhnischen westlichen Gemütern kommen wir nach dieser Lektüre zu
dem Schluß, daß einigen Einwohnern von Motza etwas
hätte passieren können. Durchaus nicht! Derart instruierte
arabische Soldaten wären mit Maschinengewehren bewaffnet des Nachts in Motza eingedrungen, aber sie
wären sich dessen voll bewußt gewesen, daß ihr nächt-
licher Überfall nur den Zweck hatte, die Palästinafrage
wieder einmal vor die Vollversammlung der Vereinten
Nationen zu bringen.

Dieses arabische Dementi wurde kein einziges Mal unter
Beweis gestellt, weil kein einziges israelisches Dorf und
keine Siedlung jemals, und sei es auch nur für wenige
Minuten, in arabische Hände fiel. Dies muß jedoch nicht
immer so bleiben, wenn es eine vierte, fünfte und sechste
Runde gibt. Diese feigen Juden fürchten, daß eine zwan-
zigjährige Mordpropaganda Wirkungen haben könnte
auf einige, nicht zu gebildete, einfache Soldaten, denen
Dichtung fremd ist und die nicht einmal wissen, was eine
Metapher ist.

Die andere Erklärung besagt, daß die Araber keine Antisemiten sind (wie könnten sie, da sie selbst Semiten
sind?), sondern nur Antizionisten. Juden als Rasse lieben
sie, politischen Zionismus hassen sie.

Wenn auf Grund eines bedauerlichen Mißverständnisses

ein paar tausend umgebracht werden, könnten sie ruhig in dem Bewußtsein sterben, daß sie nicht als Juden, sondern als Zionisten getötet werden.

Eine subtile Unterscheidung, aber aus der Sicht der internationalen Politik eine sehr wichtige.

»Die Schlacht um Jerusalem war turbulent«, erzählte mir ein Freund, Mitglied einer Panzerbesatzung, »und es war eine harte Schlacht. Für ein paar Stunden trafen wir dort vielleicht auf den härtesten Widerstand des ganzen Krieges. Wir beschossen Ost-Jerusalem von der israelischen Seite her mit Artilleriefeuer, und es ging ganz schön wild zu. Ich ging in ein Haus, um meine Frau anzurufen. Alle Einwohner waren im Keller. Ich ging hinunter und fragte nach dem Besitzer. Ein alter orthodoxer Jude kam mit mir nach oben. Ich bat ihn um die Erlaubnis zu telefonieren.

›Telefonieren?‹ wiederholte er.

›Ich möchte meine Frau anrufen‹, sagte ich.

Er war überrascht.

›Ihre Frau?‹ fragte er.

›Ja, meine Frau. In Beer-Sheba.‹

›Wozu?‹

›Ich will ihr sagen, daß es mir gutgeht.‹

Sein Erstaunen wurde immer größer.

›Da ist eine Schlacht im Gange, und Sie wollen Ihre Frau anrufen? ... Also dann, Soldat, nur zu! Rufen Sie ihre Frau an!‹

Ich hob den Hörer ab, erbat den Anschluß in Beer-Sheba

und bekam ihn schneller als in Friedenszeiten. Es telefonierten an diesem Tag anscheinend weniger Leute. Meine Frau antwortete, in Beer-Sheba sei alles ruhig. Aber gerade als wir zu sprechen begonnen hatten, eröffneten drei israelische Kanonen vor dem Haus das Feuer, und ich konnte sie nicht mehr verstehen. Also ging ich zu den Kanonieren hinaus und sagte:

›Himmel noch mal . . . ich versuche mit meiner Frau zu reden . . . könnt ihr nicht eine Weile ruhig sein?‹

›Aber natürlich‹, sagte der diensttuende Leutnant und stellte das Feuer ein.

Der alte orthodoxe Jude beobachtete das alles mit wachsender Verzweiflung. Dann warf er seine Arme hoch und rief:

›Das ist eine jiddische Armee . . . Gott der Allmächtige, steh uns bei!‹«

Jüdische Greueltaten

Ein arabischer Journalist aus Ost-Jerusalem, der sich jetzt aller Einrichtungen, die den Journalisten offenstehen, erfreute einschließlich der Annehmlichkeiten des Presseamtes der Regierung, hatte ein paar Sorgen und reichte eine Beschwerde bei der Leitung dieses Amtes ein.

»Gut, ich werde die Sache prüfen«, sagte der israelische Beamte, aber der Araber hörte und hörte nicht auf, über diese Angelegenheit zu lamentieren, bis der israelische Beamte schließlich die Geduld verlor.

»Hören Sie«, sagte er zu dem Araber, »Sie haben hier diese wirklich nicht schwerwiegende Beschwerde und fühlen sich sehr geschädigt. Hätten Sie den israelischen Journalisten erlaubt, vollkommen gleichberechtigte Mitglieder der jordanischen Pressekonferenz zu werden? Wenn Sie den Krieg gewonnen hätten, was hätten *Sie* mit uns gemacht?«

»Ach«, antwortete der Araber sorglos, »wir hätten ihnen natürlich die Gurgel durchgeschnitten. Aber das ist etwas ganz anderes. Sehen Sie, Sie sind zivilisiert, wir nicht.«

Der arabische Journalist hatte mit seinem Sarkasmus recht. Ich wurde immer ungeduldig, wenn Israelis, angeklagt wegen Greueltaten und Ausschreitungen, zurückgaben: »Aber was hätten die Araber mit uns getan?« Es stimmt, daß die mörderischen Pläne der Araber ihre Klagelieder (Klagelieder, die tatsächlich von Möchtegern-mördern vorgetragen werden) um einiges wirkungsloser und wenig überzeugend machen, aber wenn diese An-klagen von Außenseitern kommen, die keine Morde ge-plant haben, hat man das Gefühl, daß geplante arabische Massaker wirklich nichts mit der gegenwärtigen israeli-schen Haltung zu tun haben. Wenn die Israelis als zivili-siertes Volk angesehen werden wollen, haben sie sich wie zivilisierte Leute zu benehmen, was immer die Araber geplant haben mögen. Oder andersherum: sollten sie organisierter Scheußlichkeit und der Ermordung unschul-diger Kinder fähig sein, haben sie kein Recht, sich über eine Art der Behandlung zu beklagen, die sie selbst jetzt bereitwillig anderen zukommen lassen wollen.

Benehmen sich die Israelis tatsächlich wie eine zivilisierte Nation? Einige Greueltaten wurden wahrscheinlich auf beiden Seiten von einzelnen Soldaten begangen. Es ist schwer, einen Krieg, dem eine derart emotionelle Erre-gung voranging, genau nach den Regeln der Haager Landkriegsordnung zu führen. Trotzdem respektierte die israelische Armee, abgesehen von einigen individuellen Ausschreitungen, die Regeln und verhielt sich im großen und ganzen mit lobenswerter Zurückhaltung und Fair-neß. Die Soldaten waren nicht gerade glücklich darüber, zu diesem Job eingezogen zu werden, aber sie waren nicht sauer, und sie sind kein blutrünstiger Haufen. Ich hörte niemals – wie ich schon erwähnte – von einem einzigen Vergewaltigungsfall. Wie ich auch schon vorher sagte

– aber man sollte es wiederholen – kann jeder, der das Westufer bereist, die lockere und entspannte Atmosphäre fühlen. Damit kein falsches Bild entsteht: im Gaza-Streifen herrscht Bitterkeit und Haß, auf dem Westufer eine fast sorglose Atmosphäre. Ich will nicht behaupten, daß die Menschen glücklich sind. Ich behaupte auch nicht, daß die nationale Erniedrigung für die meisten durch bessere wirtschaftliche Bedingungen ausgeglichen wird. Keine Nation genießt es, von ihrem schlimmsten Feind besetzt zu sein. Doch eines kann man nicht leugnen: Besatzer und Besetzte kommen ohne größere Reibereien miteinander aus, viel besser, als irgend jemand zu hoffen wagte.

Mein Eindruck wurde zur festen Überzeugung, je mehr ich vom Westufer sah, aber dann zweifelte ich an mir selbst. War ich nicht zu leichtgläubig und nur ein Trottel, der auf alles hineinfällt? Wollte die israelische Propaganda mir etwas vormachen? Ich war der israelischen Propaganda nicht ausgeliefert. Sie sagten nie mehr zu mir als: »Gehen Sie, wohin Sie wollen, und sehen Sie selbst.« Ich suchte nach Anzeichen von Greueltaten und Unterdrückung. Ich hörte von zwei Fällen: die mutwillige Zerstörung von vier arabischen Dörfern und die Sprengung von Häusern, die Terroristen gehörten.

Die Geschichte von den vier arabischen Dörfern las ich in zahlreichen angesehenen Zeitungen, einschließlich der *Sunday Times* vom 16. Juni 1968. Laut diesem Bericht zerstörten die Israelis kaltblütig und brutal vier Dörfer – Zeita, Beit Nuba, Yalu und Imvas (das biblische

Emmaus). Bulldozer waren eingesetzt worden – so berichtete man –, um alle Spuren dieser Dörfer zu verwi-
schen. Der Autor des *Sunday-Times*-Artikel, Michael
Adams, ein guter Kenner des Nahen Osten und ein Journalist von exzellenter Reputation, erhielt einen wesentlichen Teil seiner Information von dort lebenden Arabern, die behaupteten, Augenzeugen zu sein. Sein Bericht
endet mit den gefühlvollen Worten:

»In späteren Tagen werden zweifellos junge Israelis auf
der Suche nach einem Picknick-Platz die alte Straße nach
Emmaus fahren und sich unter diesen Bäumen niederlassen, lachen und fröhlich sein. Aber in den Zweigen
werden die Geister der Vergangenheit wohnen. Denn
hier stand ihres Nachbarn Haus.« Der Artikel zog eine
Erwiderung der Israelischen Botschaft in London nach
sich, worin es hieß, daß die Dörfer »während des Juni-
krieges und kurz danach« schweren Schaden erlitten hätten, als israelische Truppen gegen zwei ägyptische Kommandoeinheiten, die hier Stellung bezogen hatten,
kämpften. Diese Einheiten kämpften auch noch nach der
Feuereinstellung weiter. Nachdem über die Angelegenheit soviel gesagt worden war, fuhr der Verfasser des
Briefes mit den üblichen Belanglosigkeiten fort: Was die
Araber wohl getan haben würden, hätten sie den Krieg
gewonnen. Er erklärte, daß in der Altstadt von Ost-
Jerusalem 32 Synagogen geschleift oder entweiht wurden. Schließlich fügte er hinzu, daß es sinnvoller gewesen
wäre, auch einmal etwas über Israels *nicht* vorhandenen
Haß in Wort und Tat zu schreiben usw. usw. usw.

Solches Ausweichen vor dem eigentlichen Thema erweckt natürlich den starken Eindruck, daß Israel etwas zu verbergen habe. Der Bezug in diesem Zusammenhang auf hypothetische arabische Greueltaten liest sich wie eine Rechtfertigung für tatsächliche jüdische Greuel. Die Zerstörung der 32 Synagogen in Ost-Jerusalem hat mit diesem Fall ebensowenig zu tun wie der Anbau von Futtermais in Kasachstan – ausgenommen, um es zu wiederholen, wenn arabische Greueltaten jüdische Racheakte rechtfertigen. Schließlich stand Adams die Auswahl seiner Themen frei. Er wollte nicht über den nicht vorhandenen Haß der Israelis schreiben, sondern über die Zerstörung der vier arabischen Dörfer, ein Thema, das wichtig genug ist.

Ich wandte mich wegen weiterer Informationen an die israelischen Militärbehörden. Sie gaben mir einige magere Fakten, aber darüber hinaus war ihre Haltung: »Kein Kommentar.« Der Militärsprecher und der Regierungssprecher versicherten beide, daß die vier Dörfer tatsächlich zerstört worden seien, sie existierten nicht länger, und der Grund sei planiert worden. Das war alles, und es sah tatsächlich sehr böse aus.

Schließlich entdeckte ich das, von dem ich meine, daß es die Wahrheit ist. Ich erhielt meine Information und meine Beweise teilweise aus offiziellen Quellen, die nicht zitiert werden wollen, und teils von anderen »gutinformierten Kreisen«, die es wissen mußten und deren Angaben die anderen Quellen stützen. Die Dörfer sah ich natürlich nicht, da von ihnen nichts mehr übrig war. Ich konnte keinen arabischen Zeugen ausfindig machen, da sie in alle Winde zerstreut waren. Meine sämtlichen Informationen stammen aus israelischen Quellen, und in meinem Wissen gibt es Lücken. Ich kann nur sagen, daß ich persönlich zufriedengestellt bin und glaube, die Wahrheit zu kennen. Und die Wahrheit scheint so auszusehen: Drei Tage vor Ausbruch des Krieges (2. Juni 1967) verbargen sich Kommandoeinheiten in diesen Dörfern und begingen von dort aus Sabotageakte. Nach dem Ausbruch der Feindseligkeiten gingen diese Sabotageakte weiter, und die vier jordanischen Dörfer wurden von den vorwärts rückenden israelischen Truppen angegriffen. Diese Angriffe waren als Kriegshandlungen legitimiert. Sobald die Israelis in die Dörfer eindrangen, zogen sich die ägyptischen Truppen Pyjamas an und konnten, da sie jetzt von den Einwohnern des Dorfes nicht mehr zu unterscheiden waren, fliehen und in der Menge untertauchen. Nach dem Kriege kehrten sie jedoch zurück, benutzten die Ruinen als Versteck und feuerten auf Fahrzeuge und Konvois, die auf der Hauptstraße nach Jerusalem fuhren. Da die Ruinen ideale Plätze zum Verbergen von Kommandoeinheiten waren, entschloß sich die israelische Armee, sie dem Erdboden gleichzumachen; die Häuser waren auf jeden Fall unbewohnbar geworden. Die Dörfer wurden tatsächlich vollkommen zerstört, der Grund wurde planiert. Die Einwohner hatte man fortgeschickt, und sie würden sicherlich nicht wieder zurückkehren können.

Diese Geschichte ist in unzähligen Zeitungsartikeln immer

wieder erzählt worden. Der Leser mag denken, daß die erste Zerstörung ein angemessener Kriegsakt und daß die endgültige Zerstörung berechtigt war. Er mag meinen, daß man die arabischen Einwohner hätte warnen sollen und daß die Aktion etwas weniger kaltschnäuzig hätte ablaufen können. Aber wir wollen auf keinen Fall vergessen: *Es ist immer die Geschichte von denselben vier Dörfern.*

Kurz nach meiner Rückkehr aus Israel las ich von einem israelischen Journalisten einen Artikel über diese Dörfer. Er erschien in *New Statesman and Nation* am 12. Juli 1968 und stammte von Amos Kenan. Er schrieb, daß er an der Zerstörung der vier Dörfer tatsächlich teilgenommen habe, bzw. dazu befohlen worden sei. Er war über diese Befehle so empört gewesen, daß er von seiner Einheit desertierte und einen Bericht über diese Aktion schrieb. Durchschläge dieses Berichts wurden an den Generalstab, die Mitglieder des Kabinetts und der Knesseth gesandt. Sehr wenige russische Soldaten, muß man annehmen, schrieben ähnliche Berichte, als man ihnen befahl, in die Tschechoslowakei einzumarschieren, und wenn der eine oder andere es tat, durfte er ihn bestimmt nicht im *New Statesman* veröffentlichen. Kenans Disziplinlosigkeit wurde unterschiedlich behandelt. Er – ein Gemeiner – wurde zum Rapport vor den Kommandierenden General seiner Division befohlen, der dem Gemeinen Kenan einen vollständigen, geschriebenen Bericht übergab und ihm sagte, daß das Geschehene eine bedauerliche Fehleinschätzung der Lage gewesen sei, die sich nicht wiederholen würde. Kenan glaubte dem General nur widerwillig und argwöhnte, daß er andere, ähnliche Vorfälle vertuschen wolle. Er fragte den General, wie er garantieren könne, daß ähnliche »Fehleinschätzungen« sich nicht wiederholten. Der General unterzeichnete sofort eine Order, die Kenan in den besetzten Gebieten Bewegungsfreiheit garantierte, damit er alle Dinge untersuchen und selbst in Augenschein nehmen konnte. Er tat dies und fand heraus, daß ähnliche Aktionen tatsächlich nicht stattgefunden hatten. Kenan schrieb weiter: »Aber seitdem taucht in allen Friedensvorschlägen, die gemacht werden, mein Bericht ständig wieder auf, so als ob es gestern passiert sei, als ob es jederzeit wieder passierte. Und das ist eine Lüge. Genausogut könnte man schreiben, daß man in England Hexen auf dem Scheiterhaufen verbrannt hat, und dabei das Datum weglassen. Ich bitte hiermit alle, die mir damals geglaubt haben, als ich von einer kriminellen Handlung schrieb, mir auch jetzt zu glauben. Und diejenigen, die mir heute nicht glauben, bitte ich, meinem früheren Bericht keinen Glauben zu schenken und nicht immer nur das zu glauben, was ihnen gerade in ihren Kram paßt.«

Ich bezog mich außerdem auf die Sprengung von Häusern. Die *Jerusalem Post* berichtete am 27. Juni 1968, daß der achtundzwanzigjährige Jehad Taleb Muhammed Hamdan sechs Tage zuvor als Terrorist getötet worden war. Nach dem Tod des jungen Mannes sprengte ein israelisches Sprengkommando das Haus seiner Eltern in Kafr Kabalan, einem Dorf bei Nablus. Die Eltern werden keine Entschädigung erhalten. Sie sind jetzt in das Haus von Jehads Onkel gezogen (das bei der Sprengung ebenfalls beschädigt wurde und für welches ebenfalls keine Entschädigung gezahlt wird). Die Eltern erklärten, daß ihr Sohn Jehad vor vier Jahren seine Heimat verlassen habe, nach Kuweit gegangen sei und ihnen seit zwei Jahren kein Geld mehr geschickt habe.

Das sah nach einem besonders grausamen Akt biblischer Rache aus, die Eltern für die Verbrechen des Sohnes büßen zu lassen. Der Regierungssprecher erklärte jedoch, daß Häuser, die Terroristen gehörten oder in denen sich Terroristen versteckten, gesprengt werden würden. Das war kein Geheimnis, denn tatsächlich war diese Politik der Israelis bekanntgemacht worden, und die Öffentlichkeit wußte Bescheid. Man hatte die Gewohnheit von den Engländern übernommen, die ebenfalls solche Häuser sprengten und dadurch Kollektivstrafen vermieden. Die Israelis, sagte mir der Regierungssprecher, sahen von Kollektivbestrafungen ab, sprengten aber Häuser, um Terrorismus zu verhüten und die Leute, die Terroristen versteckten, zu entmutigen – eine lebenswichtige Maßnahme. Wenn Terroristen sich nirgendwo verbergen können, wird ihr Terrorismus unwirksam. Das fragliche Haus war tatsächlich Jehads Eigentum, deshalb wurde es gesprengt. Der Regierungssprecher fügte hinzu: »Wir mögen diese Politik nicht. Sie ist widerlich, aber sie ist auch erfolgreich. Wir müssen uns schützen, deshalb müssen wir sie so lange beibehalten, wie sie notwendig ist.«

Mancher mag sich gegen den Gebrauch des Wortes »Terrorist« sträuben. Nichts ist natürlicher, als daß die Israelis sie »Terroristen« nennen, während die Araber dagegen von »Widerstandskämpfern« oder »Freiheitskämpfern« sprechen. Ich werde sie Guerillas nennen. Das Westufer ist für die Araber zweifellos ein vom Feind besetztes Land, und eine Widerstandsbewegung ist gerechtfertigt. Die jungen Leute, die an Guerilla-Aktionen teilnehmen, sind Patrioten und keine Kriminellen. Aber sie nehmen Risiken auf sich und müssen die Konsequenzen tragen. Sie begehen Sabotageakte und schießen, deshalb schießen die Israelis zurück und möglichst – wann immer sie können – zuerst. Jeder, der in den Krieg zieht, muß wissen, daß er gejagt wird.

Es sollte hinzugefügt werden, daß Israel besser dasteht als jede andere Besatzungsmacht. Kein einziger Guerilla wurde nach der Gefangennahme zur Bestrafung erschossen. Es gibt in Israel keine Erschießungskommandos, keine Henker. Ein gefangener Guerilla ist in Sicherheit. (Die Araber behaupten, daß die Israelis keine Guerillas exekutieren, weil sie niemals Gefangene machen. Sie haben keine Guerillas zum Erschießen. Sie schießen sie alle nieder, bevor oder nachdem sie sich ergeben haben. Dies wäre ein ausgesprochen dummes Verfahren, denn ein lebender Guerilla ist eine wichtige Informationsquelle, ein toter Guerilla kann nicht mehr reden. Auf jeden Fall verträgt sich eine solche Anschuldigung kaum mit den 1500 Guerillas, die in israelischen Gefängnissen sitzen.) In einem besetzten Dorf (diesmal auf der Sinai-Halbinsel) erteilte ein Offizier einem seiner untergebenen Offiziere einen Verweis, weil ihm schien, dieser sei in einer bestimmten Angelegenheit zu hart oder ungerecht vorgegangen. Der Leutnant versuchte, sein Vorgehen zu rechtfertigen, konnte seinen Vorgesetzten aber nicht überzeugen. Schließlich erklärte der Jüngere: »Nun gut. Ich habe einen Fehler gemacht. Mein Vater war ein Gemüsehändler in Krakau und hat es versäumt, mich zu informieren, wie man eine militärische Operation durchführt. Ich freue mich, daß Ihr Vater Sie entsprechend erzogen hat.«

Noch ein Wort über Guerillas, Partisanen, Terroristen – egal, wie sie nun heißen. Diese Guerillas-Bewegung – man muß es einmal sagen – ist ziemlich unwirksam. Sie bellen wohl, aber sie beißen nicht. Natürlich gibt es gewisse Erfolge, manchmal Paniken, einige unangenehme Zwischenfälle, manchmal Tote (am schlimmsten war eine Explosion im November 1968 in West-Jerusalem), aber im großen und ganzen hat diese Bewegung zur Zeit, wo dies hier geschrieben wird, Hussein mehr Ärger bereitet als den Israelis.

Ich sprach mit einem früheren israelischen Terroristenführer, der vor 1948 aktiv war und danach berühmt – einem echten Experten, und es tut mir leid, mit einem sehr geringschätzigen Urteil über die arabischen Aktionen:

»Absolute Anfänger«, sagte er mir, als wir auf der Terasse eines Cafés in Tel Aviv saßen. »Natürlich dürfen wir nicht sorglos sein, sondern müssen uns mit allen Mitteln, die uns zur Verfügung stehen, schützen. Sie machen natürlich etwas: Bomben werden in Kinos entdeckt, die nächste wird vielleicht nicht entdeckt, bevor sie explodiert und viele hundert Frauen und Kinder tötet und auch Männer. Es gibt einige Explosionen, manmal eine Serie kleinerer, und dann und wann sind sie gefährlich und verletzen oder töten Menschen. Aber was sie machen, sind in Wirklichkeit Dummejungenstreiche, törichte, flüchtige Affären. Sobald ein kleines Ergebnis erzielt wird, streiten sich die rivalisierenden Organisationen in aller Öffentlichkeit, wer für die Tat verantwortlich sei. Manchmal hat niemand von ihnen damit etwas zu tun. Als Dayan sich einmal verletzte, geschah dies bei einer seiner archäologischen Arbeiten. Die Araber behaupteten, sie seien die Urheber. Aber es war tatsächlich ein Unfall. Die Araber lasen davon nur in den Zeitungen.«

Er bestellte einen neuen Fruchtsaft. Alkohol rührte er niemals an.

»Und wenn diese Fedajin gefaßt werden, sprechen sie. Sie sprechen freiwillig, frei und geläufig und plaudern alle Geheimnisse aus, Namen und alles andere. Sie werden nicht gefoltert, sie foltern die Vernehmungsoffiziere mit ihrem Wortschwall. Sie wetteifern miteinander, wer die wichtigsten Geheimnisse kennt. Sie fühlen sich dann wichtig.«

Er zündete sich eine Zigarette an und fuhr fort: »Wir Juden könnten das viel besser. Wenn wir an Stelle der Terroristenbewegung wären, würden die Menschen vor Angst nicht mehr schlafen. Niemand könnte sicher durch das Land reisen, niemand könnte es wagen, ein Konzert oder Kino zu besuchen, es gäbe keine glücklichen Touristenscharen, die unbehindert von Sehenswürdigkeit zu Sehenswürdigkeit pilgern. Das sähe ganz anders aus. Das ist ein Job für Profis. Ich hätte Terror und Panik in diesem Land ausgestreut.«

Er schwieg. Ich erwartete, daß er hinzufügen würde: »Und würde es genießen.«

Aber er sagte nichts mehr.

Postskript: Während dieses Buch in den Druck geht, steigerte sich die Aktivität der Guerillas. Es gab Angriffe auf El-Al-Flugzeuge in Athen, Zürich und Frankfurt, Explosionen in Jerusalem usw. Einige Mal stellten die Araber sogar die urkomische Behauptung auf, sie seien für Eschkols Tod verantwortlich. Trotz der sich steigernden Aktivität stimmt das, was ich oben geschrieben habe. Ein israelischer Freund, der mich 1969 besuchte, sagte mir: »Wenn man den Schlagzeilen der europäischen Zeitungen glauben soll, leben wir in Furcht, aber die Schlagzeilen in Tel Aviv sind um einiges kleiner. Wir zucken mit den Achseln und werden mit den Guerillas lässig fertig. Sie stören unser tägliches Leben nicht.«

Jerusalem

Am Mittwoch, dem 28. Juni 1967, wurde Teddy Kollek Bürgermeister von Jerusalem. Er kündigte an, daß ab 8 Uhr des folgenden Tages Jerusalem wieder *eine* Stadt sein würde, alle Grenzen würden verschwinden, und alle Einwohner dürften sich frei in der Stadt bewegen. Viele Menschen weigerten sich, ihren Ohren zu trauen, sicherlich wollte er nur sagen, daß es den Juden gestattet sei, Ost-Jerusalem zu besuchen, nicht aber daß gleichzeitig – keine drei Wochen nach dem Krieg – Araber in den Westen kommen könnten. Doch Kollek meinte genau das. Eine wiedervereinte Stadt ist *eine* Stadt für alle ihre Einwohner. Nun gut, fragten ihn die Leute, aber können die Araber in unbegrenzter Zahl herüberkommen? Ja, so viele nur wollten.

Einige Leute waren ernstlich besorgt. In einigen Fällen wurden junge Mädchen nach Tel Aviv geschickt und anderswohin, weil ängstliche Eltern Vergewaltigungen fürchteten. Die meisten hatten jedoch keine Befürchtungen, sie begrüßten die Anordnung, vertrauten den Arabern und hatten recht. Der 29. Juni bleibt ein aufregender und bemerkenswerter Tag in der Geschichte Jerusalems, einer Stadt, die mit der Geschichte gelebt und für Tausende von Jahren Geschichte gemacht hat.

Nur die Einwohner von Berlin, Nikosia und natürlich Jerusalem wissen, was es bedeutet, in einer geteilten Stadt zu leben. Jerusalem war zwanzig Jahre geteilt. Das heißt, daß Leute unter dreißig sich nicht daran oder nur ganz unklar erinnern, daß es einmal eine Zeit gab, zu der Jerusalem wie andere normale Städte in der Welt war. Nur die Älteren erinnerten sich der vergangenen Tage, als es kein Mandelbaumtor, keinen Stacheldraht, keine Befestigung im Stadtzentrum, keine feindlichen Posten mit aufgepflanztem Bajonett auf der Straße gab, als Juden die Altstadt besuchen und die Araber sich in den moderneren Teilen bewegen konnten.

Wonach sich die Israelis sehnten, war der Anblick der Klagemauer. Seit dem Ende des Krieges 1948 hatten die orthodoxen Juden keine gute Klage mehr. Die harten, neuen Israelis haßten diesen ausgeprägten Ausdruck *Klagemauer* – sie sind kein Volk von Klagenden – und nannten diesen Platz daher *Westliche* Mauer. Aber Klagemauer oder Westliche Mauer, alle Israelis-orthodoxe Juden oder die harten jungen Nationalisten fühlen sich gleichermaßen von diesem nicht gerade schönen Bauwerk angesprochen und berührt. Die Klagemauer ist genau das, was man erwartet – eine Mauer. Aber es gibt solche Mauern und solche Mauern. Es ist keine besonders schöne Mauer. Der untere Teil besteht aus großen, grauen und häufig abgesplitterten Steinen, der obere Teil sieht nach einer kürzlich vorgenommenen Rekonstruktion aus und besteht aus kleineren Steinen. Sie ist der einzige Teil des Tempels, der stehengelassen wurde. In Wahrheit ist es noch nicht einmal das: Sie war tatsächlich niemals Teil des Tempels selbst, sondern ein Überrest der Mauer, die den Tempelhof umgab. Der untere Teil stammt aus der Zeit des zweiten Tempels (erstes Jahrhundert), der obere Teil wurde später hinzugefügt. Die Klagemauer ist den Juden so heilig wie Bethlehem den Christen oder Mekka den Moslems. Die Jordanier bauten auf dem Platz vor der Mauer häßliche Slumbauten und direkt an der Mauer eine öffentliche Bedürfnisanstalt. (Viele jüdische heilige Stätten waren ähnlich entweiht; ich sah einige, die als Misthaufen benutzt wurden. Heute werden die Moscheen der Araber von den Israelis mit großem Respekt behandelt.) Punkt 8 Uhr am 29. Juni wogte eine ungeheure Menge über die früheren Grenzen direkt auf die Klagemauer zu. Die Aufregung, Glückseligkeit und Ekstase der Menschen erreichten bisher unbekannte Höhen, selbst der Sechs-Tage-Krieg ließ sich damit nicht vergleichen. Alle, die dabei waren – vollkommen unreligiöse Menschen, sogar Atheisten –, versicherten mir, daß sie sich dieser Tage immer nur mit Tränen in den Augen erinnern werden.

Zur gleichen Zeit machten scheue und leicht verwirrte arabische Gruppen ihre ersten, zögernden Schritte in den israelischen Sektor. Zuerst trauten sie den Israelis genausowenig, wie einige Israelis ihnen getraut hatten. War es für sie wirklich sicher oder steckte dahinter eine Falle voller verborgener Gefahren? Sie fanden es sicher, und Tausende von ihnen kamen ... Die erste große Gruppe hielt an, um die Verkehrsampeln zu beobachten.

Es gab auch in Ost-Jerusalem Verkehrsampeln, aber sie waren anders als die der Israelis. Das rote Licht war von einem kleinen roten Männchen begleitet, das in wartender Haltung dastand, wenn das Licht auf Grün umwechselte, wurde aus dem kleinen, roten Mann ein kleiner, grüner Mann, der zum Überqueren der Straße ansetzte. Die Araber waren fasziniert, wenn der kleine, grüne Mann zu laufen begann, grölten sie vor Lachen. Einige applaudierten, und der Beifall wurde von dem Rest der völlig überraschten Gruppe aufgenommen. Ein großer Erfolg! Die Verkehrsampeln mit ihren roten und grünen Männchen wurden eine der großen Attraktionen des Tages.

Seit diesem Morgen war Jerusalem vereinigt geblieben. Die Menschen bewegten sich frei, ohne jede Behinderung. Kein Araber erregte in den westlichen Teilen Aufsehen oder fiel auf. Ich sah spät in der Nacht einen einsamen orthodoxen Juden, der zur Klagemauer wollte, quer durch den Bazar gehen. Kein anderer Israeli war auf der Straße, aber er fühlte sich deutlich sicher. Soweit ich herausfinden konnte, wurde niemand angegriffen, geschweige denn belästigt. Arabische Polizisten, mit Revolvern bewaffnet, patroullierten durch das Gebiet, aber jeder wußte, daß die paar jüdischen Pilger auch ohne Polizeischutz sicher waren. Tagsüber bieten sich kleine Araberjungen den Touristen als Fremdenführer an, sprechen fließend Englisch oder Hebräisch und wissen zweifellos über den Kreuzweg und Christis letzte Reise besser Bescheid als der durchschnittliche christliche Priester außerhalb Jerusalems. Manchmal spielen kleine Araber mit kleinen Israelis, und weder steht die Sonne still, noch fällt der Himmel ein. Alte polnische Juden, die stehenbeiben, um die auf der Straße sitzenden und die Nargileh rauchenden Araber zu beobachten, werden häufig eingeladen mitzurauchen und nehmen die Einladung an.

Jerusalem gehört jetzt zu Israel. Viele Leute betrachten diese Einverleibung als gewollten Bruch des internationalen Rechts, aber die Israelis sind deswegen weder beeindruckt noch unmäßig besorgt. Jerusalem hatte schon immer – sogar unter türkischer Herrschaft – eine jüdische Majorität. Ost-Jerusalem wurde niemals Teil Jordaniens, und Jordanien besitzt keinen entsprechenden Anspruch auf die Stadt. Die Israelis verstehen nicht, warum die Christen glücklicher sein sollten, wenn die heiligen Stätten statt in den Händen der Juden in den Händen der Moslems sind. Jerusalem ist eine heilige Stadt aller drei großen Religionen, von denen jede sie einmal beherrschte. Nahezu zweitausend Jahre waren die Juden von der Beherrschung Jerusalems ausgeschlossen. Sie meinen, sie seien jetzt dran. Nebenbei gesagt: lange bevor das Wort Zionismus auftauchte, kamen religiöse Juden aus allen Teilen der Welt, um in Jerusalem zu sterben. Es ist der schönste Platz zum Sterben, das war schon immer bekannt. Die Stadt kann für sich eine ganz besondere *joie de mourir* in Anspruch nehmen.

Jerusalem ist nicht nur eine der berühmtesten, sondern auch eine der seltsamsten Städte der Welt. Es hat 266 000 Einwohner, davon 200 000 Juden, 54 000 Moslems und

11 000 Christen. In Jerusalem leben mehr alte Leute als in jeder anderen Stadt Israels, doch ist die Geburtenrate doppelt so hoch wie die der männlichen neuen Stadt Tel Aviv. Viele seiner Einwohner besitzen einen akademischen Grad, viele sind aber auch Analphabeten. (Viele orientalische Juden wohnen hier.) Es besteht eine große Gemeinde militanter, religiöser Fanatiker, die sich dazu berufen fühlen, andere Juden zu ihrer Lebensart zu bekehren. Es besitzt aber auch ein großes, lautstarkes und gleich militantes antireligiöses Element, das in seiner Abneigung der Fanatiker fast antisemitisch wirkt. Jerusalem beherbergt mehr christliche Bewegungen als Rom, einschließlich der Griechisch-Orthodoxen, Russisch-Orthodoxen (zwei Zweige) und der Rumänischen Orthodoxen Kirche: Römische Katholiken, Griechische Katholiken, Maroniten, Syrische Katholiken, Armenische Katholiken und Chaldäer, Monophysitische Kirchen wie Armenisch-Orthodoxe, Koptische, Syrische und Äthiopische Orthodoxe Kirchen, Anglikaner, Lutheraner, Baptisten, Schottische Kirche, Nazaräer, Pfingstbewegung, die Adventisten, die Kirche Christi, die Kirche Gottes, die Quäker, die Christliche Bruderschaft und die Mennoniten. Zwanzig Prozent der Araber sind auch Christen, der Rest Moslems. Jerusalem ist eine heilige Stadt des Islams genau wie der Christenheit und des Judentums. Das Harem esch-Scherif, die El-Aksa-Moschee und die Omar-Moschee (Felsendom) werden in ihrer Bedeutung nur noch von Mekka und Medina übertroffen.

Jerusalem ist eine schöne Stadt, eine orientalische Stadt,

aber nicht sehr tolerant. Aber sogar in seiner Intoleranz ist es unvergleichlich. Jedermann erwartete eine furchtbare Verbrechenswelle nach der Vereinigung, aber sie kam nicht. Intolerante Araber leben Seite an Seite mit intoleranten Juden und intoleranten Christen. Die Araber sind gesetzestreu und zur Zusammenarbeit bereit und machen mit ausländischen und israelischen Touristen blühende Geschäfte. Wenn sie diese neue Situation hassen, zeigen sie es sicherlich nicht. Die Juden mögen sie ziemlich, und die vielen orientalischen Juden stehen in vieler Hinsicht den Arabern näher als den europäischen Juden. (Im August 1968 explodierten ein paar kleine Bomben, das Werk einer der Guerillaorganisationen. Die Situation sah böse aus, eine zornige Menge wollte die arabischen Viertel stürmen, um Selbstjustiz zu üben. Die Polizei hielt sie zurück, die Gemüter kühlten sich bald ab, und jeder kehrte wieder zum normalen Leben zurück.)

Der unangenehme jüdische Geschäftsgeist – wie ihn Antisemiten gern zeichnen – überlebt nur noch bei einigen der christlichen Bewegungen. Die christlichen Sekten teilen sich viele der Kirchen in Jerusalem (und Bethlehem), der Wettbewerb zwischen ihnen ist fast so hitzig wie in der Konsumgüterindustrie. Diese Teilung kommt häufig bei der Römisch-Katholischen, der Orthodoxen und der Armenischen Kirche vor, aber andere Wettbewerber spielen auch mit. Es gibt eine räumliche Teilung – dieser Teil gehört der einen, der andere einer zweiten Sekte – und eine Zeitaufteilung, die sich danach richtet, wann Messe gelesen wird. So kommt es, daß einige dieser heiligen

und geweihten Stätten mehr den Bazaren vor ihren To-
ren gleichen als Schreinen großer Heiligkeit. In der Gra-
beskirche ist der Begräbnisplatz von Christus zwischen
den Griechisch-Orthodoxen und der Koptischen Kirche
geteilt. Auf der koptischen Hälfte steht:

Dies ist der Originalstein des Grabes –

Spenden bitte hier ablegen.

Auf der Platte liegen eine Fünfpfund- und eine Zehn-
pfundnote, damit die Leute animiert werden, mehr zu
geben – genau wie in den Toiletten großer Hotels.

Zwei Bürgermeister

In Hebron fand 1929 ein Massaker unter den Juden statt. Der Bürgermeister von Hebron war damals Scheich Muhammad Ali Jabari. Als die israelischen Truppen achtunddreißig Jahre später in Hebron einrückten, erwartete die Stadt sie mit Schrecken. Keine Menschenseele war auf den Straßen, alle Läden waren geschlossen, im Rathaus oder in den anderen Dienststellen befand sich kein einziger Beamter, es gab kaum ein Lebenszeichen. Der israelische Militärkommandeur ließ durch Lautsprecherwagen den Bürgermeister und die anderen hohen Beamten auffordern, sich im Rathaus einzufinden. Achtunddreißig Jahre waren vergangen, Muhammad Ali Jarabi war immer noch Bürgermeister. Er und seine Beamten versammelten sich vor dem Militärkommandeur. Der Bürgermeister sagte kühl und sachlich zu dem Kommandeur: »Ihr seid gekommen, um euch zu rächen.« Er sagte es weder ängstlich noch mißbilligend.

»Vielleicht«, sagte der Kommandeur.

Alle im Raum schwiegen lange. Dann sprach wieder der israelische Kommandeur.

»Herr Bürgermeister, ich möchte Ihnen ein Angebot machen. Wenn Sie mir die Sicherheit meiner Soldaten – ohne Ausnahme – garantieren können, werde ich die Sicherheit Ihrer Bürger garantieren.«

»Akzeptiert«, nickte kühl der Bürgermeister, er zeigte keinerlei Gefühlsregung. Er war ein Angehöriger der großen palästinensischen Familien, die Jahrhunderte das Land beherrscht hatten. Er hatte die Türken in Palästina erlebt, dann die Engländer, dann die Jordanier, jetzt die Israelis. Eroberer kommen und gehen, aber Hebron gab es schon vor der biblischen Zeit, Hebron ist ewig. Und er, der Bürgermeister, fast ewig. Es war immer so gewesen, man hatte sich daran gewöhnt, der Bürgermeister ordnete an, und die Bürger gehorchten. Der Handel wurde geschlossen. Kein israelischer Soldat wurde angegriffen, kein Bürger von Hebron mußte wegen 1929 etwas erdulden. (Im September 1968 ereignete sich ein Zwischenfall, aber niemand beschuldigte die Araber.)

Als ich den Bürgermeister besuchte, erwartete er mich auf den Stufen des Rathauses. Er trug ein elegantes traditionelles arabisches Gewand und die Kefiyah, die arabische Kopfbedeckung. Ich wußte, er mußte ein alter Mann sein, aber er wirkte alterslos. Er empfing mich mit perfekter, aber eisiger Höflichkeit, ohne ein Lächeln, ohne Zeichen der Freude oder der Mißbilligung. Er hat listige und argwöhnische Augen und kann so unpersönlich wie ein Möbel oder ein Dokument sein. Das Dokument teilt wohl einige Ansichten mit, aber Gefühle und Emotionen kann man nicht herauslesen. Er macht einen unergründlichen, furchtlosen, verschlossenen und unverbindlichen Eindruck. Sobald wir uns setzten, drückte er – ohne daß ich es merkte, wie er glaubte – einen Knopf, der ein verborgenes Tonband in Betrieb setzte. Die meisten Politiker und im öffentlichen Leben Stehenden haben die Kunst gelernt, mit vielen Worten nichts zu sagen, der Bürgermeister von Hebron beherrscht die Hohe Schule, mit wenigen Worten nichts zu sagen.

Während wir sprachen, kamen immer mehr Leute – alle Araber – in den Raum. Wir wurden vorgestellt, schüttelten Hände. Ihnen servierten demütige Diener ebenfalls Kaffee und kühle Getränke.

Ich fragte den Bürgermeister, ob er etwas über die Probleme sagen könne, denen er sich gegenüberfand.

»Schreiben Sie ein Buch oder nur Zeitungsartikel?« war seine Antwort.

Ich erzählte ihm, daß ich ein Buch schrieb.

Schweigen.

Ich ließ ihn noch einmal durch den Übersetzer (er bestand darauf, Arabisch zu sprechen) nach seinen Problemen fragen.

»Was für Probleme?« fragte er. Wäre er überhaupt imstande gewesen, Emotionen zu zeigen, hätte seine Stimme jetzt ein mattes Erstaunen ausgedrückt. Probleme?

Ich erwiderte, daß ich mir denken könne, die Besetzung seiner Stadt durch eine ausländische Armee würde einige Probleme aufwerfen.

»Keine Probleme«, sagte der Bürgermeister leidenschaftslos.

»Alles läuft hervorragend.«

Ich fragte, ob er irgend etwas gegen die Besatzungsbehörden einzuwenden habe.

»Überhaupt nichts einzuwenden.«

»Was halten Sie von der Schließung der Banken.«

Er blickte in meine Richtung, sah mir aber nicht in die Augen: »Die Schließung der Banken beeinflußt die wirtschaftliche Lage.«

»Geht es den Menschen unter der Besatzung besser oder schlechter?«

»Schlechter.«

»Welche Schwierigkeiten gibt es also?«

»Man läßt keine Waren vom Ostufer zollfrei herein«, sagte er, und ich kam mir richtig stolz vor, soviel aus ihm herausbekommen zu haben.

»Welche Lösung haben Sie im Auge, Herr Bürgermeister?«

»Die Araber und Israelis werden gemeinsam eine Lösung finden.«

»Aber wie könnte diese aussehen?«

Er sah wieder in meine Richtung: »Die Vereinten Nationen können helfen.«

»Halten Sie die Bildung eines unabhängigen arabischen Palästinas für einen durchführbaren Vorschlag?«

»Das kommt auf die Leute in Palästina an.«

Dann fügte er hinzu: »Einer derartigen Lösung müßte auch die israelische Regierung zustimmen.«

»Haben Sie wenigstens ein paar geringfügige Beschwerden? Kleinere Probleme?«

»Alles wird von mir und den Besatzungsbehörden geregelt.«

In diesem Augenblick betraten zwei höhere israelische Offiziere den Raum. Als sie merkten, daß der Bürgermeister ein Interview gab, erboten sie sich, den Raum zu verlassen, um dem Bürgermeister Gelegenheit zu geben, frei seine Meinung zu sagen. Ich bat sie zu bleiben, da ich das Gefühl hatte, daß der Bürgermeister ungeachtet ihrer Anwesenheit in seiner freien Redeweise fortfahren würde. Er tat es. Er redete ungefähr noch fünf Minuten lang im selben Stil weiter. Ich dankte ihm, daß er mich empfangen hatte, und ging.

Der Bürgermeister von Hebron stand im Ruf, den Besatzungsbehörden freundlich gesonnen zu sein. In Amman sagte man mir, er würde als Kollaborateur betrachtet, niemand würde ihm beistehen, und wenn die Jordanier zurückkehrten, bedeutete das für ihn persönlich höchste Gefahr. Mir scheint das unsinnig. Der Bürgermeister von Hebron ist ein Feudalherr, er mag niemanden, er respektiert keinen, er fürchtet keinen. Er »kollaboriert« mit niemandem. Er hat die Türken, die Engländer und die Jordanier kommen und gehen sehen, jetzt sah er die Israelis kommen, und er ist überzeugt, daß auch sie wieder gehen werden. Er will die Probleme der arabischen Welt nicht lösen, er kümmert sich nicht um die Probleme Ägyptens und Jordaniens, die Zukunft des Nahen Ostens bereitet ihm keine schlaflosen Nächte. Die Welt ist nicht sein Bier. Er sorgt für Hebron und für Hebron allein, das er mehr oder weniger als seinen persönlichen Besitz betrachtet. Er ist souverän genug, die große weite Welt außen vorzulassen und sich allein um seine eigene Stadt zu kümmern.

Vielleicht nistet in einem Winkel seines Herzens ein ganz klein wenig Zuneigung für Hebron – wer weiß.

Der Bürgermeister von Nablus, Scheich Hamdi Chanaan, ist ganz anders. Von allen Bürgermeistern auf dem Westufer erschienen nur er und der Bürgermeister von Hebron in den Schlagzeilen der Weltpresse. Der Bürgermeister von Hebron kommt mit den Besatzungsmächten zurecht, da er kompromißbereit ist, der Bürgermeister von Nablus ist ein getreuer und steinharter Nationalist. Ich habe aber das Gefühl, daß sie wohl mit sehr unterschiedlicher Zunge sprechend in der gleichen Weise handeln: Beide versuchen, die Interessen ihrer eigenen Leute wahrzunehmen. Vielleicht hat der Bürgermeister von Nablus noch ein paar persönliche Ambitionen extra und denkt an seine Zukunft, während der Bürgermeister von Hebron für ein Motiv wie Ehrgeiz nur Verachtung empfindet und weiß, daß seine Zukunft schon hinter ihm liegt. Der Bürgermeister von Nablus ist ein Selfmademan, er stammt aus keiner der großen, alteingesessenen Familien. Er muß sich selbst immerzu bewähren. Auch er empfing mich in seinem Büro im Rathaus. Er trug europäische Kleidung und sprach Englisch; seinen Übersetzer schaltete er nur ein, wenn er das rechte Wort nicht finden konnte. »Wir dachten nie, daß die Besatzung so lange dauern würde«, waren seine ersten, klagenden Worte. Ich war überrascht und versucht zu fragen: »Hätten Sie gewußt, daß es so lange dauern würde, wären Sie mit der Besetzung nicht einverstanden gewesen?« Aber ich sagte nichts Derartiges, und er fuhr fort. Er nannte die Besetzung »Kolonisation«. Er sagte, den Menschen entstünden dadurch finanzielle Schäden, höhere Steuern, Arbeitslosigkeit usw. Die

Besatzung zerrütte auch das Familienleben, da viele
Leute auf das Ostufer geflohen sind. Eine weitere Ursache
für Notstände seiner Meinung nach: Viele palästinensische Araber waren nach Kuweit, Libyen und in andere
wohlhabende Länder gegangen, hatten dort gute Arbeitsplätze und pflegten große Summen Geld zurückzusenden,
um ihre Eltern und ältere Verwandte zu unterstützen.

»Sie weigern sich, weiter Geld zu schicken«, sagte der
Bürgermeister, »weil sie nicht sicher sind, ob das Geld
ihre Familien erreichen wird.«

»Aber es kommt doch an. Sie wissen, daß es ankommt.«

»Ich weiß es, aber sie wissen es nicht. Und da liegt der
Haken.«

»Sicher, aber Sie könnten es ihnen sagen.«

»Hat keinen Zweck. Auf keinen Fall wollen sie die
israelische Wirtschaft unterstützen.«

»Das scheint in Ordnung zu gehen, Herr Bürgermeister«,
sagte ich, »aber wollen sie nicht ihre Eltern unterstützen?«

»Nicht, wenn sie damit Israels Wirtschaft unterstützen.«

»Aber das tun sie ja nicht, Herr Bürgermeister, denn die
israelische Wirtschaft wird kaum zusammenbrechen, weil
die Unterstützung, die ihre Eltern lebensnotwendig brauchen, ausbleibt.«

»Es ist die Pflicht der Besatzungstruppen, sich um die
Menschen zu kümmern.« Er fügte hinzu, daß die Menschen es schwer hätten, daß viele von ihren Ersparnissen
lebten, die bald aufgezehrt sein würden – bei niedrigem
Verdienst und hohen Steuern.

Ich fragte den Bürgermeister, welchen Ausweg er sähe.
Jeder wünsche den Frieden, antwortete er. Aber eine
militärische Besetzung diene nicht dem Frieden. Deshalb
solle sich Israel ohne Zögern sofort zurückziehen. Danach
würden sich die arabischen Staaten um eine Lösung bemühen. Selbst wenn sie es nicht täten, warum sollten
dann die einfachen Leute leiden und unter fremder Besatzung bleiben. Die israelische Besetzung wäre eine
schwere Bedrohung des Friedens.
»Sind Sie für Friedensverhandlungen zwischen Arabern
und Israelis?«
»Ja, aber nur, wenn die Araber verhandeln wollen.«
»Sind Sie für Verhandlungen über einen separaten Friedensvertrag?«
»Nein, auf keinen Fall. Wir sind ein Teil Jordaniens. Ein
winziges, unabhängiges Jordanien wäre auf keinen Fall
lebensfähig. Wir wollen mit Jordanien wiedervereinigt
werden.«
Er betonte, daß alle arabischen Länder an einer Lösung
beteiligt sein müßten. Anfang und Ende, war sein Haupt-
thema, sei die Besetzung; sie sei die Wurzel allen Übels,
deshalb müsse sie verschwinden. Israel müsse in diesem
Punkt nachgeben. Ein Rückzug würde den Weg zu einer
Lösung erleichtern. Ich fragte ihn nach der El Fatah. Er
sagte, sie bestünde zumeist aus palästinensischen Arabern
und sei eine legitime Widerstandsbewegung.
»Würden Sie dem zustimmen, Herr Bürgermeister«,
fragte ich ihn, »daß die israelische Besetzung die mildeste
überhaupt in der Geschichte ist?«

»Jede Besetzung ist von Übel.«

»Das meine ich auch. Trotzdem, würden Sie dem zustimmen, daß die israelische Besetzung die mildeste überhaupt in der Geschichte ist?«

»Die mildeste?« Er wiederholte meine Worte.

»Sie sprechen sehr offen und tapfer, Herr Bürgermeister. Aber ist nicht die Tatsache, daß Sie so mit einem ausländischen Journalisten sprechen können, für sich schon ein Beweis, daß die Besatzungsbehörden milde und tolerant sind? Man erlaubt Ihnen, die El Fatah eine legitime Widerstandsbewegung zu nennen. Kaum eine andere Besatzungsmacht wäre so liberal wie diese. Oder sind Sie nicht dieser Ansicht?«

Er schüttelte seinen Kopf.

»Nein, ich bin es nicht. Die Besetzung, das stimmt, hat gewisse lichtere Aspekte. Keine Besetzung unterdrückt alle Bereiche. Es gibt hier bis zu einem gewissen Grad Redefreiheit, und diese ist einer der lichteren Aspekte dieser besonderen Besetzung. Aber es gibt auch strengere Aspekte. Ich kann wohl sagen, was ich will, aber nicht alle können das. Menschen mußten fliehen oder wurden wegen ihrer Ansichten bestraft. Ich bliebe nicht Bürgermeister von Nablus, wenn man mir nicht erlaubte, meine Meinung zu sagen. Ich würde nicht jedermanns Marionette werden.«

Die zwei israelischen Offiziere, die dazugekommen waren und den zweiten Teil des Interviews gehört hatten, nickten zustimmend. Ich hatte das Gefühl, daß jeder den Bürgermeister von Nablus mochte. Die Jordanier mochten ihn, ein echter und furchtloser Patriot, zweifellos niemandes Marionette, und die Israelis mochten ihn sogar noch mehr. Mit seinen antiisraelischen Tiraden war er die beste Werbung für israelische Toleranz. Ein ehrenwerter und tapferer Mann, daran besteht kein Zweifel, der mit seiner furchtlos ausgesprochenen Kritik den Israelis mehr nützt als den Arabern.

Die Golan-Höhen

Wir erreichten das erste syrische Dorf, und lebhafte Erinnerungen an den deutschen Blitzkrieg, die Bombenangriffe auf London, tauchten wieder auf. Ich sah zerstörte Mauern, Häuser, die wie Pappkartons zusammengefaltet waren, und Zimmer, denen wie bei einem Bühnenbild eine Mauer fehlte, Häuser, deren Dächer abrasiert waren, Zeichen der Bombardierung, des Feuers und der Zerstörung. Wir hielten zuerst vor einem ehemaligen syrischen Offizierskasino; heute war es ein israelisches Straßencafé.

Ich wanderte umher und ging weit in die Wälder hinein. Unterwegs traf ich einen israelischen Wachtposten, der mich teilnahmslos anblickte und kein Wort sagte. Als ich zurückkam, sagte mir ein Fremder, daß er erfreut, aber auf jeden Fall überrascht sei, daß er mich heil wiedersähe. Das ganze Gebiet war mit Minen verseucht. Den Wald hatte man noch nicht gesäubert. Ich fragte den Mann, warum mich der Soldat denn nicht gewarnt habe. »Oh«, sagte er nur, »unsere Soldaten legen sich nicht gern mit ausländischen Journalisten an. Das macht einen schlechten Eindruck.«

Golan unterscheidet sich wesentlich vom Westufer. Auf dem Westufer wimmelt es vor Geschäftigkeit und Treiben, Golan ist tot. Obwohl das Westufer wirklich nicht das glücklichste Fleckchen Erde ist, ist man dort weder verbittert noch nervös, man ist entspannt. Golan wirkt weder glücklich noch unglücklich, weder vergnügt noch traurig. Golan hat keine Atmosphäre. Golan ist tot. Die gesamte arabische Bevölkerung zog mit den zurückweichenden syrischen Truppen fort, nur etwa sechstausend Drusen blieben zurück. Die Drusen hassen die Syrer, und als sie hörten, daß ihre Brüder in Israel gut behandelt wurden, weigerten sie sich, fortzugehen. (Die Folge war, daß die Drusen, die in Syrien blieben, jetzt noch schlechter behandelt werden.)

Fährt man durch die Dörfer, dann sieht man geschlossene Läden, verlassene Häuser, heruntergezogene Rolläden, improvisierte Eisengitter vor den Türen, die den Besitz während der vorübergehenden Abwesenheit schützen sollen. In den Gräben verrosten syrische Geschütze und Panzerwagen, Telegraphenmasten liegen kreuz und quer auf den ungepflügten Feldern, hie und da sieht man einen einzelnen Drusen auf einem melancholischen Esel dahinreiten oder eine einsame Ziege vor einem Drusenhaus.

Wir fuhren durch ein oder zwei Geisterdörfer: völlig verlassen, verwitternd, rostend, zerbröckelnd und zerfallend in unheimlicher Stille, die nur von mysteriösem Knirschen unterbrochen wird – eine furchteinflößende Atmosphäre.

Man passiert syrische, jetzt von Israelis besetzte Armeelager. Kuneitra, die größte und in der Tat einzige Stadt des Territoriums, ist ebenso verlassen. Der Einkaufsbezirk ist für die Öffentlichkeit geschlossen (d. h. für die Touristen). Die israelische Armee schützt das Eigentum der rechtmäßigen Besitzer vor Diebstahl, nicht aber vor dem Verfall. Die Besatzer haben auch einige Kibbuzim begonnen: nicht – so sagte man uns – weil die Israelis versuchten, diese Gegenden wieder zu bevölkern, sondern weil sich die Leutchen in der Armee langweilten. Warum sollte man ihnen nicht gestatten, sich die Zeit auf nützliche Weise zu vertreiben, etwas anzubauen, ein schöpferisches Dasein zu führen? Anstatt herumzusitzen, Löcher in die Luft zu starren und zu trinken, vor allem weil jüdische Soldaten nicht trinken. Diese neuen Kibbuzim in Golan wären ganz anders als die üblichen israelischen Kibbuzim, wo die Leute für immer zu bleiben gedächten. Das ist hier zweifellos nicht der Fall. Ich persönlich habe keine Unterschiede feststellen können. Aber ich bin kein Kibbuzimexperte.

Dann hielten wir an, um die Befestigungsanlagen zu untersuchen. Die Höhen beherrschen das Jordantal. Jeder Angreifer muß hinaufklettern, jeder Verteidiger konnte hinunterschießen. Ein Angreifer träfe zuerst auf eine Stacheldrahtverhaulinie, dann auf Minenfelder und dann auf die größeren Hindernisse, befestigte Bauwerke mit Geschütz- und Maschinengewehrstellungen. Diese Stellungen waren Tag und Nacht bemannt. Dicke Betondächer schützten die Bauwerke gegen Luftangriffe, und sie besaßen auch einen besonderen Schutz gegen Napalbomben. Hinter einer solchen Reihe von Festungen gab es wieder eine Linie mit Stacheldrahtverhau, wieder

Minenfelder und die nächste Reihe von Festungen – usw.
Die Geschütze bildeten ein kompliziertes Muster und
konnten in den Siedlungen von Galiläa das Leben zur
Hölle machen (was sie auch taten). Das System schien
unangreifbar. Nach früheren Überlegungen des israelischen Generalstabs hätte die Eroberung so viele Men-
schenleben gekostet, daß die Frage eines Frontalangriffs
überhaupt nicht aufgeworfen wurde. Als der Frontal-
angriff schließlich stattfand, brach die Verteidigung in
zwei Tagen zusammen, die syrische Armee floh in Panik,
und die Golan-Höhen wurden erobert, zweihundert
Menschen kamen dabei ums Leben.
Sicherlich ist dies eine der unglaublichsten Geschichten
dieses unglaublichen Krieges. Also erfanden die Leute
eine Erklärung – ich hörte sie wiederholte Male, immer
unter dem Siegel größter Verschwiegenheit. Syrien, so
heißt es in der Story, hätte einen geheimen Pakt mit
Israel. Syrien hätte sich bereitgefunden, bis zu einer bestimmten Linie zurückzuweichen, und Israel hätte seiner-
seits versprochen, diese Linie nicht zu überschreiten und
insbesondere Damaskus ungeschoren zu lassen. Für diese
Behauptung gäbe es zwei indirekte Beweise, sagte man
mir: 1. Wie jeder weiß, der sich mit dieser Sache beschäf-
tigt hat, verkündeten die Syrer, daß Kuneitra gefallen
sei, lange bevor dies tatsächlich der Fall war – Beweis
genug, daß sie wissen mußten, Kuneitra würde fallen.
2. Die Syrer beklagen sich heute nicht über Flüchtlinge,
haben keine Streitigkeiten mit Israel, und es gibt keine
Grenzzwischenfälle zwischen Syrien und Israel. Diese

Geschichte, das möchte ich schleunigst hinzufügen, ist durch und durch unsinnig. Es gibt Menschen, die sich Politik und Krieg als Reihe von Verschwörungen und geheimen Pakten vorstellen, wie sie es in billigen Spionageromanen gelesen haben mögen. Gelegentlich geht es im wirklichen Leben wie in diesen Romanen zu: Mao spricht immer wieder von einem Komplott zwischen den Vereinigten Staaten und der Sowjetunion, die Welt untereinander aufzuteilen und zu beherrschen. Wenn man den Russen glaubt, gab es eine geheime Verschwörung zwischen Dubček – einem besseren Kommunisten als Breschnew – und den Amerikanern. Nach Berichten der Prawda waren in Prag amerikanische Fallschirmtruppen, bevor die Russen dort eintrafen; laut Nasser nahmen englische und amerikanische Flugzeuge an verschwörerischen Luftüberfällen gegen Ägypten im Sechstagekrieg teil, und ich hörte, wie ein sudanesischer Patriot allen Ernstes über eine zionistisch-arabische Verschwörung gegen sein Land sprach. Es ist ein vergnügliches, wenn nicht sogar kindisches Spiel, wenn man zu beweisen versucht, daß scheinbare Todfeinde in Wirklichkeit unter einer Decke stecken. Aber wenn wir von den Spionageromanen absehen, müssen wir fragen: Warum sollte Syrien, das uneinnehmbare Befestigungsanlagen besitzt, mit seinem Todfeind geheime Abkommen treffen, anstatt sich auf diesen Befestigungswall zu verlassen? Syrien war und ist noch immer der unversöhnlichste aller arabischen Staaten. Syrien war die angebliche Ursache des ganzen Krieges (die Russen berichteten, Israel wollte Syrien angreifen). Warum sollten die Syrer jetzt – *freiwillig* – große Teile ihres Landes abgeben, das sie immer für uneinnehmbar hielten? Sie hätten ohne weiteres den Krieg vermeiden können, da sie ebensogut wie die Russen wußten, daß niemand daran dachte, sie anzugreifen. Nicht einmal ein Vergeltungsschlag war vorgesehen. Die Wahrheit ist, daß die Israelis einen Monat vor dem Junikrieg die Golan-Höhen nicht hätten einnehmen können, sie hätten sie nicht einen Monat danach einnehmen können. Aber nach vier Kampftagen war ihr Ruhm der Uneinnehmbarkeit derart zerrüttet, daß die Syrer davonliefen, als die Israelis anrückten.

Dennoch stimmt es, daß der Fall von Kuneitra – lange bevor es soweit war – angekündigt wurde. Ich hörte die nicht unwahrscheinliche Erklärung, daß die Israelis ihn bekanntgegeben hatten, indem sie die Wellenlänge des Senders Damaskus benutzten und sich als die syrische Radiostation ausgaben. Andere Besatzungen glaubten sich durch den Fall von Kuneitra, dem Zentralfort, umzingelt und flohen deshalb. Es stimmt auch, daß es heute zwischen Israelis und Syrern keine – oder nur sehr wenige – Zusammenstöße gibt. Aber die Syrer sind ebenso feindlich gesinnt wie zuvor. Sie bewaffnen die El Fatah und senden die Guerillas nach Jordanien, weil die syrisch-israelischen Grenzen für eine Infiltration völlig ungeeignet sind. Dann wieder ist es verständlich, daß die Syrer sich nicht über Flüchtlinge und Zwischenfälle beklagen. Sie fühlen sich durch ihre Niederlage stärker verletzt und getroffen als die anderen Staaten.

Es gab keine Verschwörung, heute herrscht die übliche, hoffnungslose Situation. Die Syrer verweigern Verhandlungen, bevor sich die Israelis nicht zurückgezogen haben. Die Israelis verweigern den Rückzug, bevor nicht Verhandlungen stattgefunden haben. Man wirft den Israelis Zynismus vor. Man sagt, daß die syrische Kompromißlosigkeit und die aller Araber den Israelis nur zu gut in ihr Konzept paßt. Das ist denkbar, aber man kann nicht sie für die arabische Unnachgiebigkeit verantwortlich machen. Es liegt bei den Arabern, mit der Unnachgiebigkeit aufzuhören und den Israelis den Bluff zu beweisen – wenn es Bluff ist.

Die Syrer weigern sich, einen Schritt zu tun, weil sie auf ihren geheiligten Rechten bestehen. Aber »geheiligt« ist in der Politik ein gefährliches Wort, das schon in der Religion gefährlich genug ist. In der Politik ist es nichts anderes als Unvernunft. Wer geheiligte Rechte besitzt, ist berechtigt, ein Wunder zu erwarten. Wunder geschehen natürlich oft, aber man weiß von Fällen, wo sie nicht eintrafen.

Allah hat es nicht eilig

Reist man von Tel Aviv nach Süden, kommt man durch die schnell wachsende Stadt Ashdad und das hübsche kleine Aschkelon. Überall sieht man gutgekleidete und tadellos saubere orientalische Juden, man sieht den Wegweiser zum Kibbuz Yad Mordechai und überquert dann die frühere Grenze zum Gaza-Streifen.

Man ist in einer neuen Welt. Man reiste nicht nur ein paar Meilen südwestlich, sondern auch einige Jahrhunderte zurück. Das industrialisierte, computerbeherrschte zwanzigste Jahrhundert liegt hinter einem, oder man hat, wenn man in die andere Richtung blickt, Jahrhunderte vor sich. Es gibt ein paar solide gebaute Häuser, aber sie liegen verstreut zwischen baufälligen Hütten und Bretterbuden. Man sieht Esel und Kamele und Frauen, die große Krüge auf dem Kopf tragen. Einen Augenblick kommt der Gedanke auf, welchen Einfluß wohl die Einführung von fließend Wasser auf die unnachahmliche Grazie dieser arabischen Frauen haben wird. Diese Art, Krüge zu tragen, macht ihre Haltung so anmutig und elegant. Doch man läßt diesen frivolen Gedanken fallen und schämt sich dessen. Auch besteht keine Gefahr. Manches Jahr wird vergehen, und diese Frauen – ihre Töchter und Enkelinnen – werden noch Krüge auf dem Kopf tragen. Sie werden arm bleiben, halb verhungert, elend und sehr anmutig.

Man spürt schon nach wenigen Minuten in Gaza die Atmosphäre von Hoffnungslosigkeit, Elend und Haß. Diese Gegend entspricht genau den Vorstellungen, die man sich von israelisch besetzten Gebieten macht, bevor man sich auf die Reise begibt. Aber in Jerusalem und auf dem Westufer fand man eine überraschend entspannte und angenehme Atmosphäre, in Golan findet man keinen Menschen außer der Besatzung. Hier ist die Luft elektrisch geladen. In den Augen dieser Leute ist Haß, Bitterkeit in ihren Herzen, der Wunsch nach Vergeltung in jedem ihrer Worte und Verzweiflung und Mutlosigkeit im Hinblick auf ihre Zukunft.

Die Bevölkerung des früheren Gaza-Streifens besteht aus der ursprünglichen Bevölkerung palästinensischer Araber aus der Zeit vor 1948 und jenen, die oder deren Eltern als Flüchtlinge nach dem ersten jüdisch-arabischen Krieg hier ankamen. Nach dem Sechs-Tage-Krieg lebten hier ungefähr 400 000 Menschen, von denen 50 000 nach Jordanien hinüberzogen. Die Israelis ermutigen solche Auswanderungen und geben den Abwandernden noch einige Pfund dazu, aber verständlicherweise sind die Jordanier nicht begeistert, noch mehr Flüchtlinge aufnehmen zu müssen. Einige der Gaza-Flüchtlinge können über die Grenze hinweg ihre früheren Häuser sehen und wie die neuen israelischen Besitzer ihr Land bebauen. Die überwiegende Mehrheit lebt von den mageren Zuteilungen der UNHCR und hat wenig Hoffnung, daß die Zukunft anders sein wird als die vergangenen zwei Jahrzehnte. Unter israelischer Herrschaft wurde ihre Lage in der Tat noch viel schlechter, die Arbeitsmöglichkeiten haben sich verringert, sie erhalten weniger Geld von ihren Verwandten in arabischen Ländern, und die UNHCR selbst hat kaum Mittel zur Verfügung. Obendrein ging der Export von Zitrusfrüchten völlig zurück, und die Preise sind verheerend gefallen. Gaza verkaufte früher seine Apfelsinen und Zitronen an die DDR und andere Staaten des Ostblocks. Heute ist mit diesen Ländern kein Handel mehr möglich, und wenn sie überhaupt etwas an westliche Länder verkaufen können, bekommen sie sehr niedrige Preise, weil ihre Früchte verglichen mit der Spitzenqualität israelischer Zitrusfrüchte von schlechter Qualität sind. Der Handel auf dem Gaza-Streifen stirbt. Gaza war früher fast ein Freihafen, und die Leute aus Kairo, Ismailia und Port Said pflegten hier ihre Einkäufe zu machen. Heute kommt niemand mehr. Es gibt nichts zu kaufen.

»Unsere Zukunft?« sagte mir ein intelligenter und vergleichsweise gemäßigter palästinensischer Araber, einer der glücklichen mit einer relativ guten Arbeit. »Wir stellen uns diese Frage täglich, ja stündlich. Wir wissen es einfach nicht. Wir sind in einer hoffnungslosen Situation.«

»Hoffen Sie noch, Ihren Besitz in Israel zurückzubekommen?«

»O nein. Nicht in *Israel*. Sie nahmen unser Land, sie nahmen unsere Häuser, sie raubten uns aus. Sie müssen unser

Eigentum zurückgeben. Das ist die einzige Lösung.«

»Aber Sie wissen genau, daß sie Ihnen Ihr Eigentum nicht zurückgeben werden. Irgendeine andere Lösung muß gefunden werden. Irgendein Kompromiß.«

»Es kann keinen Kompromiß geben. Sie stahlen uns unsere Heimat. Sie müssen sie uns zurückgeben.«

Ich fragte ihn, ob er unter ägyptischer Herrschaft glücklicher gewesen sei. Es ist bekannt, daß die Bewohner des Gaza-Streifens nicht als ägyptische Bürger anerkannt und in vieler Hinsicht ziemlich schlecht behandelt wurden. Sie brauchten für eine Fahrt nach Ägypten Reisepässe. Seine Antwort kam jedoch ohne Zögern:

»Es war wesentlich besser. Es gab bessere Erziehungsmöglichkeiten – unsere Söhne konnten auf die Universität von Kairo gehen. All das gibt es nicht mehr. Wir brauchten einen Paß für die Reise, aber konnten ihn leicht bekommen.« (Das war übertrieben. Nur sehr wenige konnten in Kairo studieren, und Reisepässe bekam man durchaus nicht so leicht.) »Ich fühlte mich nicht so unterdrückt, wie ich mich heute fühle. Ich war ein freier Mann. Heute vergesse ich keinen Augenblick, daß ich unter militärischer Besetzung lebe. Die Ägypter waren keine Engel. Sie taten längst nicht das, was sie für uns hätten tun sollen. Aber sie waren unsere eigenen Leute. Unsere Bekannten und Verwandten. Ich fühlte mich zu Hause.«

Ich sprach mit vielen Leuten. Die meisten von ihnen waren sogar noch verbitterter, kein einziger war toleranter. Ich hörte kein Wort der Hoffnung, keine einzige Be-

merkung, die darauf schließen läßt, daß irgendeine Kom-
promißlösung möglich sein könnte. Ein früher gutgestell-
ter Bauer – jetzt ein Schuster, der sehr wenig Schuhe zu
reparieren hatte – erzählte mir:

»Ich würde nicht nach Israel zurückgehen, solange die
Juden dort sind. Eher sterbe ich.«

»Auch wenn Sie Ihr ganzes Eigentum zurückerhielten?«

»Nein. Ich würde lieber sterben, als unter israelischer
Herrschaft leben.«

»Würden Sie einer Neuansiedlung in einem arabischen
Land zustimmen?«

»Nein. Warum sollte ich? Ich will mein eigenes Land zurück und nichts anderes.«

»Würden Sie auch dann nicht akzeptieren, wenn eine
arabische Regierung Sie darum bäte?«

»Nein. Ich will mein eigenes Land zurück.«

»Sie leben jetzt unter israelischer Herrschaft.«

»Die Israelis können eines Tages gehen. Auf jeden Fall
sind *sie* hierher gekommen. Ich würde gewiß nicht nach
Israel gehen, um dort zu leben.«

»Sehen Sie irgendeine Lösung?« fragte ich.

»Wir vertrauen Allah. Er wird uns unser Land zurückgeben.«

»Wann?«

»Eines Tages. Allah hat es nie eilig.«

Ich sprach mit vielen anderen Männern. Alle waren der
gleichen Meinung. Ich traf auch einen sechzehnjährigen
Schüler, der dort als Flüchtling geboren war; seine Eltern
waren auch schon Flüchtlinge.

»Vor dem Krieg war es viel besser. Heute sieht man den Feind täglich. Und man kann nichts daran ändern. Es ist ein schreckliches Leben. Es ist erniedrigend. Neulich umstellten israelische Soldaten unsere Schule und drangen gewaltsam ein.«

»Warum?«

»Ohne jeden Grund.«

»Es muß doch einen Grund gegeben haben?«

»Einige Schüler bewarfen sie aus dem oberen Stockwerk mit Steinen. Aber der eigentliche Grund war, daß eine Woche zuvor einige Schüler in der Stadt demonstriert hatten. Ein bewaffneter Jeep fuhr auf den Schulhof, und die Soldaten versuchten, die Tür aufzubrechen. Die Jungen hatten Angst. Die Soldaten schafften es nicht allein, deshalb holten sie Verstärkung. Schließlich drangen sie ein und schlugen auf Schüler und Lehrer ein. Einige wurden schwer verletzt. Ein Schüler starb, glaube ich.«

»Glaubst du?« fragte ich. »Sicherlich wüßtest du es, wenn ein Schüler aus deiner Klasse – oder wenigstens aus deiner Schule gestorben wäre.«

»Ich glaube, er starb.«

Ich hakte nach: »Das Begräbnis eines Schuljungen, den israelische Soldaten getötet haben, wäre ein großes Ereignis für die Weltpresse. Und die arabische Presse würde es sicherlich groß aufmachen. Es passierte alles in dieser Stadt. Gab es ein Begräbnis? Warst du dort?«

Er antwortete nicht.

»Du mußt das doch wissen. Warst du auf der Beerdigung dieses Jungen? Hast du von einer Beerdigung gehört?

Kennst du den Namen des Jungen, der angeblich gestorben ist?«

»Ich weiß nicht, wie er heißt, aber ich glaube, ein Junge starb.«

»Welche Pläne hast du für die Zukunft?«

»Ich will Soldat werden. Ich will gegen die Juden kämpfen.«

Ein israelischer Offizier sagte mir: »Dies ist ein furchtbarer Ort. Sicherheit steht an erster Stelle, danach kommt unser Bemühen, sich mit der Bevölkerung anzufreunden. Mit der Sicherheit hat es geklappt, aber unser Versuch, freundschaftliche Beziehungen herzustellen, ist völlig gescheitert. Die Spannung wird künstlich aufrechterhalten. Steinewerfen ist ein beliebter Zeitvertreib. Zwischenfälle werden provoziert, dann verhängen wir eine Ausgehsperre. Wir nehmen Leute fest. Dadurch entsteht neue Verbitterung, neue Zwischenfälle, Ausgangssperre, neue Festnahmen. Es wird alles von außen her gesteuert, obwohl die Leute auch ohne Beeinflussung verbittert sind.«

»Also machen nur die Araber Fehler?«

»Nein, nein! Wir machen Fehler. Vor einiger Zeit warfen sie wie gewöhnlich Steine auf vorbeifahrende israelische Fahrzeuge, aber diesmal waren es junge Araberinnen. Ein israelischer Zivilist – ich glaube, er kam aus Aschdod – bekam es mit der Angst zu tun, zog seinen Revolver, schoß, und dieser verdammte Idiot verwundete fünf arabische Mädchen. Das war völlig irre, obwohl ich zugeben muß, daß man in dieser Atmosphäre leicht die Nerven verliert.«

Ich beobachtete die Verteilung der kläglichen UNHCR-Rationen: 1500 Kalorien pro Tag (1600 im Winter), die einmal im Monat zugeteilt wurden. Jedes Reiskorn, jede Bohne, jeder Tropfen Sojaöl wird ängstlich bewacht.

Abseits von der Hauptstraße hocken schmutzige und hungrige Menschen vor ihren elenden, überfüllten Hütten, alte Araber sitzen pfeiferauchend auf Plätzen, die sich euphemistisch als Café bezeichnen, es gibt ein paar an Zäunen festgebundene Ziegen, einige Hühner flattern über die Straße und durch die Staubwolke, die ein vorbeifahrendes Auto hinterläßt, kleine Kinder gehen zu den Wasserstellen mit Krügen, die größer als sie selbst sind. Die Menschen übersehen den Fremden oder starren ihn an, ob neugierig oder haßerfüllt, hängt davon ab, was sie von ihm halten.

Der Haß beherrscht den Gaza-Streifen. Er wurde nach dem Suez-Krieg 1956 von den Israelis besetzt, aber bald darauf den Ägyptern zurückgegeben. Diese hängten vierzig Männer als Kollaborateure. Keiner liebt heute Israel, aber sie zeigen sich noch haßerfüllter, als sie in Wirklichkeit sind. Wer weiß, wann Israel den Gaza-Streifen wieder verlassen wird? Niemand wird gern gehenkt.

Zwanzig Jahre waren die Menschen täglich der Haßpropaganda ausgesetzt. Ihre Frustration und Verbitterung war echt genug, wurde aber von einem wirksamen Propagandaapparat ausgenutzt und angeheizt. Zwanzig Jahre gab es erbitterten Streit zwischen beiden Seiten und ihren Freunden in der Weltpresse und vor der UNO. Wir hörten, daß die Juden für diese Flüchtlinge nicht genug getan hatten. Es stimmt, daß diese Menschen nicht allein wegen des Zionismus Flüchtlinge geworden sind. Wir hörten, daß die Araber sie häufig genug hätten ansiedeln können, es aber vorziehen, sie als offene Wunde, als Beweis für jüdische Grausamkeit vorzuzeigen. Diese Menschen sind nur Schachfiguren im politischen Spiel. Das stimmt alles. Die israelische Unabhängigkeitserklärung bat diese Menschen zu bleiben, »ihren Wohnsitz zu behalten und als vollwertige und gleichberechtigte Bürger ihre Rolle bei der Entwicklung des Staates zu spielen ...« Aber der arabische Generalgouverneur drang darauf, daß sie das Land für kurze Zeit verließen, um den arabischen Armeen ihre Aufgabe zu erleichtern. Viele von denen, die sich trotzdem weigerten, zwang man mit Gewalt. Ein arabischer Flüchtling, der von der jordanischen Tageszeitung AD-di-Faa am 6. September 1954 zitiert wurde, sagte lakonisch: »Die arabische Regierung sagte zu uns: Haut ihr ab, damit wir hineinkönnen. Also verschwanden wir, aber sie kamen nicht.« König Hussein erklärte selber am 17. Januar 1960: »Seit 1948 sind die arabischen Führer unverantwortlich mit dem Palästina-Problem umgegangen. Sie haben die Zukunft außer acht gelassen. Sie haben keinen Plan. Sie haben die Palästinenser für selbstsüchtige politische Zwecke benützt. Das ist unmöglich und sogar kriminell.« Damals konnte er so reden, heute spricht er anders.

Es stimmt auch, daß die arabische Presse und der Rundfunk häufig ihre Art der Lösung vorbrachten. Hier nur eine der vielen Äußerungen (Stimme der Araber, 26. Juni

1961): »Die Flüchtlinge werden nicht unter dem Schutz der israelischen Banditen zurückkehren, sondern werden in einem befreiten arabischen Staat leben, in dem es keinen einzigen Zionisten mehr gibt und über dem die arabische Flagge wehen wird.« Die Israelis fragen häufig, wenn dieses Problem diskutiert wird: »Und was ist mit den jüdischen Flüchtlingen, einst gutsituierten Menschen, die entschädigungslos von den verschiedenen arabischen Staaten ausgewiesen wurden?« Alles schlagende Argumente. Beide Seiten vertreten ihren Fall höchst wirkungsvoll. In der Zwischenzeit werden Hunderttausende geboren, leben und sterben in diesem ungeheuren Konzentrationslager, wo es viel militantes Gerede und wilde Selbsttäuschung gibt, aber keine wirkliche Hoffnung.

Wenn man bescheiden anmerkt, daß diese Araber *Menschen* sind, wird das Argument mit einem überlegenen Lächeln als primitiv, naiv, sentimental und völlig unpolitisch beiseite geschoben. »Das kennen wir schon.« Es gibt für diese Frage keine eindeutige Lösung. Und wenn ein Flüchtling bei Nacht auf dem Boden seiner elenden Hütte liegt und sich einbildet, daß nach all diesen Jahren ein Neubeginn versucht werden könnte, wird er diesen Gedanken, so schnell er aufgetaucht ist, ängstlich unterdrücken. Schlimm genug, ein Flüchtling zu sein: man will nicht auch noch zum Verräter werden.

Also sind sie weiterhin tapfer und patriotisch, glauben das Unmögliche, erwarten das Unerreichbare. Man sollte es ihnen nicht übelnehmen, daß sie ihre Haß- und Mordgefühle pflegen. Wenige von uns wären unter solchen

Umständen noch vernunftbegabte Wesen. Ihre Zukunfts-
aussicht ist das Flüchtlingsdasein. Ihre Kinder werden die
Schule beenden und dann auch nichts weiter als Flüchtlinge sein. Sie vertrauen auf Allah, aber, wie mein arabischer Freund in Gaza bemerkte: »Allah hat es nicht
eilig.«

Das war Tiberias

Amerikaner benehmen sich in Israel gelegentlich so, als ob ihnen das Land gehöre. Die Erklärung dafür mag sein, daß es tatsächlich so ist.

Heute, das muß man zugeben, kommt im großen und ganzen ein sehr angenehmer Typ Amerikaner nach Israel. Die amerikanischen Touristen sind aufmerksame und interessierte Menschen, meistens Juden, aber auch viele Christen, da die heiligen Stätten jetzt auch in Israel liegen. Der typische amerikanische Geschäftsmann – der *Vice-President*-Typ – ist immer noch stark vertreten, aber er zählt nicht zu den Durchschnittstouristen. Der typische amerikanische *Vice-President* denkt, ihm gehört die Welt. Der amerikanische Durchschnittstourist ist viel bescheidener, er denkt nur, ihm gehört Israel.

Nach dem Sechs-Tage-Krieg tauchte ein neuer amerikanischer Touristentyp auf. Ein israelischer Freund von mir – im Zivilberuf Geometer, während des Krieges Kommandeur einer Panzereinheit – kennzeichnete ihn mit folgenden Worten:

»Unsere amerikanischen Freunde bestehen darauf, uns zu erzählen, was sie für uns während des Sechs-Tage-Krieges getan haben. ›Wissen Sie‹ – so fingen sie immer an – ›Wissen Sie, was ich zu meiner Frau sagte, als ich damals

nach Hause kam, damals als der Krieg war: kein Abendbrot, Nancy, ich möchte fernsehen. Stellen Sie sich vor
– kein Abendbrot, ich saß nur vor dem Fernseher. Ich aß
nur ein paar belegte Brote, ein Paar Würstchen, eine
oder zwei Cheeseburger, ein paar Flaschen Bier und Eis-
krem – und die ganze Zeit saß ich wie gebannt vor dem
Fernseher, dachte überhaupt nicht an's Essen.‹ Ich nickte
dann, bedankte mich für das Interesse und fing an, ihm
zu erzählen, wie meine Einheit als eine der ersten nach
Ost-Jerusalem durchbrach, aber er fängt wieder an: ›Das
ist gar nichts, sie hätten die Leute in New York sehen
sollen. Mann, waren die verrückt – einfach verrückt.‹«
Die Amerikaner mögen fast alles in Israel (»Oh, eve-
rything is just wonderful!«), aber sie würden es vorziehen, wenn Israel religiöser wäre. Nicht, daß viele von
ihnen zu Hause religiös wären. Aber irgendwie sehen sie
es gern, wenn Israel – ein jüdischer Staat – für *ihr* Geld
religiöser wäre.
Der normale amerikanische Tourist sieht überall Amerika. Immerzu entdeckt er erstaunliche Ähnlichkeiten. Sie
sehen den Zionshügel und rufen: »Sieht er nicht genauso
aus wie Zenith-Hill in Alabama?« Niemand widerspricht
ihnen. In Safed sagen sie: »Ist das hier nicht genauso wie
in Flowers Spring, Nebraska?« Masada scheint genau
wie Fort Worth in Texas zu sein, und nur schwer kann
man den Negev von Arizona unterscheiden. Der auf-
merksamere Reisende entdeckt jedoch gelegentlich gewisse unterschiedliche Nuancen. Eine Amerikanerin
sagte zu ihrem Mann, daß der eine oder andere See in

Connecticut »genauso wie das Tote Meer ist, bloß noch mehr tot«. Eine andere bemerkte auf den ersten Blick, daß Bethlehem (Juda) dem Bethlehem (Pennsylvania) sehr unähnlich sei.

Ich saß in der Halle des König-David-Hotels in Jerusalem neben einem amerikanischen Paar, das abreisen wollte und auf ein Taxi wartete. Der Mann sagte:

»Weißt du, Gladys, das ist wirklich schlimm. Wir haben Jean versprochen, Tiberias zu besuchen, und jetzt sind wir schon auf dem Heimweg und haben es nicht gesehen.«

»Warum ist das so schlimm?« fragte sie.

»Nun, wir haben es versprochen.«

»Ich weiß, aber wir waren da.«

»Nicht doch!«

»Natürlich waren wir.«

»Tiberias?«

»Ja.«

Der Mann schüttelte den Kopf: »Nein, du nimmst mich auf den Arm.«

»Well, Jack«, sagte sie, »erinnerst du dich, als wir das zähe Steak bekommen hatten? Du sagtest, du hättest dir fast die Zähne daran ausgebissen.«

»Sicher erinnere ich mich.«

»Well, das war Tiberias.«

Juden seit Juni

Die Araber und ihre westlichen Freunde versichern der Welt, daß sie nicht antijüdisch, sondern nur antizionistisch seien. So wie sie denken viele Juden in Israel, sie sind gewiß keine Antisemiten, aber viele von ihnen sind antizionistisch.

Zionismus ist passé, sagen sie, ein Glaubensbekenntnis mit einem nützlichen Zweck in der Vergangenheit, ähnlich dem Eifer, den die Deutschen und Italiener an den Tag legten, als es im 19. Jahrhundert um die Einigung ihrer Länder ging. Zionismus hatte ein edles Ziel, aber es ist erreicht worden, das Problem existiert nicht mehr, und der Begriff ist veraltet. Es ist mehr als zwei Jahrzehnte her, daß der Staat Israel gegründet wurde, deshalb muß der alte Schlauch Zionismus mit neuem Wein gefüllt oder weggeworfen werden.

Während meines Aufenthaltes in Israel tagte ein Zionistenkongreß. Einige Israelis mieden ihn, ein paar waren eindeutig feindselig, die meisten völlig gleichgültig. Und sogar einige Delegierte waren verwirrt und rätselten herum, was der Zionismus am Ende der Sechziger noch zu bedeuten habe.

Soll sich Israel weiterhin auf die Juden in der Diaspora verlassen? Soll Israel versuchen, alle Juden davon zu überzeugen, daß ihre wahre Heimat Israel sei und sie deshalb ihre Heimat verlassen müßten, um nach Israel zu fahren? Müssen Juden, die in England, Amerika oder sonstwo außerhalb Israels leben, zwischen Israel und ihrer Heimat entscheiden und das eine oder andere aufgeben? Gibt es eine wirkliche Identifikation, oder ist das nur modisches Blabla? Und wie steht es mit der berüchtigten doppelten Loyalität?

Einen ersten nützlichen Schritt geht man, wenn man erkannt hat, daß Zionismus für Juden in Israel, für Juden außerhalb Israels und für Nichtjuden eine völlig verschiedene Bedeutung hat.

Wollen wir uns zuerst mit den Nichtjuden beschäftigen. Wenn der Araber feststellt, er sei nicht antijüdisch, sondern antizionistisch, dann spricht er die Wahrheit und nichts als die Wahrheit – allerdings nicht die ganze Wahrheit. Seine Probleme sind der Staat Israel als politische Macht im Nahen Osten und die Juden in New York, London und Amsterdam, wenn sie diesen Staat unterstützen. Er spricht nicht die ganze Wahrheit, weil er in seiner Position in dieses Problem tief verstrickt ist. Viele seiner nichtarabischen Mitstreiter denken genau wie er, und ihre antiisraelische Haltung ist natürlich genauso zu respektieren wie irgend jemandes anderen proisraelische Haltung. Aber viele reiten auf dieser antizionistischen Welle, um ihren Antisemitismus abzureagieren, eine Denkungsart, die sie selbst strikt zurückweisen. Antizionismus fügt in vielen Fällen dem Antisemitismus eine neue Dimension hinzu. Er macht den Antisemitismus wieder respektabler, und das kaum drei Jahrzehnte nach Auschwitz. Dank Nasser (und dank Israel) kann man heute wieder Antisemit sein, ohne deshalb als solcher abgestempelt zu sein.

Von Israel aus gesehen, hat sich die Bedeutung des Zionismus in der Zeit seines Bestehens häufig geändert. Der augenscheinlichste Wechsel ist folgender: Bis vor kurzem brauchte Israel die Juden aus anderen Ländern, heute brauchen diese Juden Israel.

Seit der Balfour-Deklaration hat Zionismus für viele Menschen viele Bedeutungen. Zuerst war er für viele Menschen nichts weiter als der alte Witz: Ein Jude benutzt das Geld eines anderen, um einen dritten Juden nach Israel zu schicken. Lange Zeit besaß er ein defensives, verteidigendes Element, reiche Juden wollten arme Juden loswerden und sie wegschicken, damit die zurückbleibenden Juden mehr respektiert würden. Zionismus diente einfach dazu, den Antisemitismus in der Heimat zu bekämpfen. Mit der Wiedergeburt des jüdischen Nationalismus (die mit der des arabischen Nationalismus zusammenfiel) erhielt der Zionismus ein neues Gesicht. Die Ankunft Hitlers gab ihm neue Bedeutung, und die Gründung Israels änderte das Bild auf einen Schlag. Als Israels Ansehen wuchs, entdeckten immer mehr Menschen ihr Judentum. Menschen, die sich normalerweise schämten, Juden zu sein, wurden darauf plötzlich stolz. Und das gleiche passierte wieder nach jedem Krieg. Heute ist es nicht der Jude in der Diaspora, dem Israel sein Prestige verdankt, sondern umgekehrt. Der Sechs-Tage-Krieg schuf eine neue Spielart Konvertiten, und zwar die Spezies Js J: Juden seit Juni.

In Israel gibt es vier hauptsächliche Meinungen über den Zionismus:

1. *Beruhigung:* Der Zionismus ist tot, aber wir tun so, als ob er noch lebendig sei. Wir brauchen noch immer das Geld der Amerikaner und der anderen, die es alle senden, weil wir gute Zionisten sind. Israel sollte natürlich auf eigenen Füßen stehen, aber ohne diese ausländische Hilfe ist das gar nicht so einfach.

Wir müssen nicht darauf bestehen, daß alle Juden außerhalb Israels hierher kommen. Sie wollen auch nicht. Wir brauchen ganz notwendig Einwanderer. Wir brauchen Menschen. Juden aus dem Westen werden nicht kommen, sie sind ganz glücklich dort, wo sie leben. Die Sowjetunion ist das einzige Land mit einem großen Reservoir an Juden, mehr als 3 Millionen, aber dieses Reservoir kann aus politischen Gründen nicht ausgeschöpft werden. Die Sowjetunion kann nicht ihre Beziehungen mit den arabischen Ländern ruinieren, indem sie den Expansionisten Israel mit noch mehr Soldaten versorgt. Ebensowenig möchten die Russen der anderen Welt vorführen, wie ihre jüdischen Bürger ihre Sachen packen und – so schnell wie es nur geht – das Land verlassen, da man von ihnen glaubt, daß sie zufriedene Bürger des kommunistischen Paradieses sind. Das wäre doch ein wenig peinlich. Der Tag mag kommen, an dem es feste und anerkannte Grenzen gibt, so daß die Einwanderung von mehr Menschen nicht mehr gleichbedeutend mit Expansion ist. Hinter diesen Grenzen können wir tun, was wir wollen. Und dann wird Rußland vielleicht seine Politik ändern – oder seine Führungsschicht. Es ist unwahrscheinlich, daß man allen russischen Juden erlaubt zu gehen. Vielleicht wollen auch gar nicht alle kommen. Aber viele sicherlich.

Da wir gerade von Rußland sprechen, sollten wir festhalten, daß dieser gewandelte Zionismusbegriff noch ein anderes Phänomen in einem der russischen Satellitenstaaten hervorgebracht hat. Die polnische Regierung hat sich eine vollkommene Mißwirtschaft geleistet, und die polnische Bevölkerung muß auf viele Dinge verzichten, das gilt auch für die Juden. Aber – wie viele bankrotte Regierungen nur allzu gut wissen – ist Antisemitismus eine nützliche Ablenkung; deshalb erleben wir in Polen das erbauliche Spektakel eines Antisemitismus ohne Juden, obwohl ich hinzufügen muß, daß die polnische Regierung während der letzten Monate anscheinend zur Vernunft gekommen ist.

2. Den Beruhigern antworten die Kanaaniter und ihre Verbündeten: Das ist alles Blödsinn. Wir haben mit der Diaspora nichts zu schaffen. Schwamm drüber! Wir wollen die Juden in Europa und Amerika vergessen und mit unseren Nachbarn Frieden schließen. Wir haben mit diesen weit entfernten Juden und mit ihrer Gettotradition weit weniger gemeinsam als mit unseren Nachbarn. Israel gehört zum Nahen Osten, deshalb sollten wir ein nahöstliches Land werden. Wenn wir Einwanderer brauchen, gibt es genug in den arabischen Ländern, und

wenn wir unseren Frieden mit ihnen gemacht haben, wollen wir ihnen das zugestehen. Von einem rein jüdischen Staat zu sprechen, ist rassistisch. Und jüdischer Rassismus ist keinen Deut besser als anderer.

Darauf antworten ihre Gegner: dies mag ein angenehmer Traum sein, aber es ist sicherlich keine pragmatische Politik. Warum Israel des Rassismus beschuldigen, wenn jeder Staat in der Welt für sich irgendeine Art Ideologie in Anspruch nimmt und darauf Wert legt, nicht nur als Wohnort für alle, die da kommen und leben wollen, angesehen zu werden. Holland wird nicht des Rassismus beschuldigt, weil es holländisch sein will, Norwegen nicht, weil es norwegisch sein will. Kein Land erlaubt die unbegrenzte Einwanderung, warum sollte Israel die einzige Ausnahme sein? Es ist einfach zu sagen, man solle mit den Arabern Frieden machen, aber das zu erreichen, ist schon ein ander Ding. Zur Zeit möchten sich die Araber tatsächlich in Israel niederlassen, allerdings mit dem Gewehr in der Hand. Sie wollen zuerst erobern und dann den Staat liquidieren. Diese *kanaanitische* Idee ist bestenfalls eine Wiedergeburt des veralteten Assimilationsbegriffs. Der alte, assimilierte Jude versuchte ein Engländer, ein Pole oder ein Deutscher zu werden (oder so zu tun) und versuchte sein Judentum zu vergessen (oder zu verleugnen). Woran der einzelne damals gescheitert ist, das versuchen jetzt die *Kanaaniter* im Rahmen einer Nation zu erreichen. Wir wollen vergessen, sagen sie, daß wir Juden sind, und wir sollten jetzt Orientalen werden, was immer das auch bedeuten mag. Der

Zionismus mag sterben, aber der Versuch, Pseudoaraber oder Beinahearaber zu werden, geht doch ein wenig zu weit.

3. Die Anhänger der *Britischen Schule* haben wieder andere Vorstellungen. Sie geben zu, daß es hoffnungslos sei zu erwarten, daß alle Juden der Welt nach Israel kommen würden. Dies, sagen sie, ist nicht nur unmöglich, sondern auch unerwünscht. Israel erhält eine ungeheure Stärke, wenn die Juden in der ganzen Welt zerstreut sind, und das wahre Ziel Israels sei es, das Zentrum des Weltjudentums zu werden. Ich nenne diese Schule »britische Schule«, weil ihre Befürworter – mutatis mutandis – ein jüdisches Commonwealth vor Augen haben. Israel hat mindestens genausoviel mit den amerikanischen und italienischen Juden gemeinsam wie Großbritannien mit den Einwohnern von Ghana, Singapore und Trinidad-Tobago.

4. Wir sollten uns jetzt noch mit den offiziellen Zielen des Zionismus beschäftigen, wie sie der Zionisten-Kongreß 1968 aufstellte. Diese Ziele heißen: Die Einheit der Juden und Israel als Zentralpunkt in ihrem Leben, das Heimholen der Juden aus allen Ländern, die Stärkung des Staates Israel, die Bewahrung der Identität der Juden durch Förderung der jüdischen und hebräischen Erziehung und der jüdischen Rechte, wo auch immer.

Diese Formulierung enthält einige harmlose und einige diskussionswürdige Forderungen, aber kritisch wird es, wenn vom Heimholen der Juden aus allen Ländern gesprochen wird. Es ist der bestimmte Artikel, das *der,* was diese Forderung so problematisch macht. Juden aus allen

Ländern heimholen? Bitte! *Die* Juden aus allen Ländern heimholen? Nun, sie werden sich nicht heimholen lassen.

Wir wollen uns jetzt die andere Seite der Medaille ansehen – Zionismus, wie er von außen gesehen wird. Hier gibt es zwei hauptsächliche Probleme.

Das erste geht um die *Identität*. Mein Ratschlag: gar nicht von sprechen. Es ist nur ein künstliches Problem. Was einen Menschen ausmacht, ist nicht, ob er ein englischer Jude, ein amerikanischer Jude, ein türkischer oder ein chinesischer Jude ist, er ist ein Mensch. Sein Judentum kann einen Haufen Probleme bedeuten, und er muß sich mit ihnen auseinandersetzen, aber das sind keine Probleme der Identität. Er mag verfolgt werden, erniedrigt oder getadelt. Er bleibt, was er ist, etwas anderes kann es nicht geben.

Das vieldiskutierte zweite Problem der *doppelten Loyalität* ist etwas komplizierter. Die Amerikaner haben Menschen aus aller Herren Länder aufgenommen, sie machten Amerika zu einer großen Nation. Sie sprechen von Irisch-Amerikanern, aber es taucht nie ein Zweifel auf, ob ein Irisch-Amerikaner etwa ein schlechter amerikanischer Patriot sein könnte, der vom Problem der doppelten Loyalität geplagt wird. (Das gleiche gilt für Kanada und Australien.)

Auch Europa ist voll von Bürgern eines Landes, die aus einem anderen gekommen sind. Wir haben niemals bei naturalisierten Engländern, Deutschen, Schweden und Afghanen etwas von der doppelten Loyalität gehört.

Warum dann bei Juden? Ich bin sicher, daß dieses Problem von Leuten aufgebracht wurde, die – wissentlich oder unwissentlich – davon überzeugt sind, daß Juden zur Loyalität überhaupt unfähig sind. In gewisser Weise zeichnet diese doppelte Loyalität alle Juden. Ein englischer Jude muß anders sein als andere Engländer, weil Israel existiert (dieser englische Jude steht hier nur stellvertretend). Deshalb muß dieser Mensch wählen. Er muß sich entscheiden, nach Israel zu gehen oder in England zu bleiben. Aber er hat gewählt. Er ist in England geblieben. Oder er hat etwas aufzugeben. Was? Sein Judentum? Aber dieses ist seine Religion, seine Rasse, sein Hintergrund. Wie kann er dies leichter aufgeben als etwa seinen linken Arm oder seine Stimme?

(Wäre er nach Israel gegangen, hätte seine doppelte Loyalität überlebt. Er wäre zweifellos ein echter und aufrichtiger Freund Englands geblieben. Aber dies würde dann als lobenswerte Eigenschaft registriert werden, nicht als nachteilige »doppelte Loyalität«.)

Wenn es zwischen zwei Ländern keinen Konflikt gibt, spielt die doppelte Loyalität keine Rolle. Ein mehr oder weniger anständiger Mensch besitzt nicht nur eine doppelte Loyalität, sondern dreifache, vierfache und fünffache. Man kann viele Prinzipien, Länder und Kämpfe unterstützen. Ich persönlich bin zur Zeit für England, die Vereinigten Staaten, Frankreich, die Tschechoslowakei, Israel, Biafra – und unpolitisch – für Ungarn. Ich bin gegen die Regime in Südafrika und Rhodesien. Das sind allein sieben Loyalitäten.

Wieso besteht da ein Konflikt? Der »right or wrong my country«-Patriotismus ist heute nicht nur veraltet, sondern auch irgendwie verächtlich. Wir bewundern Deutsche, z. B. Thomas Mann, der sich während des Nazi-Regimes gegen sein Land aussprach. Wir verdammen keinen Amerikaner, der gegen den Vietnam-Krieg ist, wir heißen Griechen, Russen (Stalins Tochter unter ihnen) oder Portugiesen willkommen, wenn sie vor der Tyrannei fliehen und sich gegen die herrschenden Regime in ihren Ländern auflehnen. Sollte England mit Israel einen Krieg führen, wird irgend jemandes Loyalität nicht dadurch beeinflußt, ob er Engländer oder Jude ist, sondern nur durch den Konflikt an sich. Wenn England – was natürlich unwahrscheinlich ist – in einen Krieg mit Israel verwickelt wird, der unter solchen Vorzeichen des Nationalsozialismus wie Unterdrückung und Völkermord geführt wird, dann würden sich viele Engländer gegen ihr Vaterland wenden und Israel unterstützen, wenn Israel einen nationalen Expansionskrieg führen würde – anstatt einen Krieg zur Selbstverteidigung – und daranginge, die Araber auszurotten, dann würden sich viele Israelis von ihrem Vaterland abkehren und es bekämpfen. So gäbe es nur wieder eine einzige Loyalität.

Spaß beiseite, bis solche Kriege einmal ausbrechen, sollten unsere doppelten und sechsfachen Loyalitäten begrüßt und nicht verdammt werden.

Unsere Araber

Einige Tage vor dem Ausbruch des Sechs-Tage-Krieges, als große arabische Armeen an den Grenzen Israels aufmarschierten, blickte manch einer ängstlich auf Nazareth, das Zentrum der israelischen Araber. Die Araber waren immer etwas rätselhaft. Sie schienen loyale Bürger zu sein. Aber wußte man, was in ihren Köpfen vorging? Man konnte überhaupt nicht voraussagen, was sie tun würden, falls der Staat durch den Krieg stark beansprucht werden würde. Sie hatten neunzehn Jahre unter den Israelis gelebt, und es schien sich jetzt eine gute Chance zu bieten, ihre Brüder zu umarmen. Waren sie bereit für diese Umarmung? Waren sie darauf begierig? Noch Jahre nach der Gründung des Staates waren sie als Bürger zweiter Klasse behandelt worden und waren zweifellos verdächtig. Sie konnten diesen Argwohn wirklich nicht übelnehmen. Sogar heute noch werden sie nicht einberufen. Aber, ganz abgesehen von wirklichen oder eingebildeten Beschwerden, wenn man die Israelis nicht wegen eines gewissen Mißtrauens, mit dem sie in den frühen Fünfzigern die Araber behandelten, nicht tadeln kann, dann kann man es auch den Arabern nicht verdenken, daß sie sich daran erfreuten, wieder einmal unter arabischer Herrschaft zu leben.

Aber sie freuten sich nicht.

Es wäre unwahr zu behaupten, daß sie während des Sechs-Tage-Krieges keinen Ärger bereiteten. Aber es ist absolut wahr, daß sie keinen ernsthaften Ärger bereiteten. Jedem Zeichen von Unschlüssigkeit, Verschwörung und Kontakt mit dem Feind standen hundert Loyalitätserklärungen gegenüber. Viele Araber boten Geld – kleinere oder größere Summen, je nach finanzieller Lage –, um die Kriegsanstrengungen zu unterstützen, viele Spenden wurden anonym geschickt, viele Araber zahlten ihre noch nicht fälligen Steuern im voraus, viele fanden andere Wege, um ihrer Loyalität Ausdruck zu verleihen, und eine ganze Menge meldeten sich freiwillig zum Militär. Sie waren erfreut, daß »wir gewonnen haben«. Erstaunlicherweise sagten sie: *wir:* Israelis und israelische Araber; *sie,* das war die übrige arabische Welt.

Dies klingt zu schön, um wahr zu sein. Zuerst erschien es mir jedenfalls so. Aber die israelischen Araber besitzen einige gute Gründe, sich vor einer arabischen Invasion zu fürchten. Viele Menschen in den arabischen Lagern bezeichneten die israelischen Araber als Verräter, die für ihre Kooperation mit Israel büßen sollten. Hier und dort fiel das Wort »Massaker«, und wenn es auch gewiß nicht der offiziellen arabischen Politik entsprach, wer konnte voraussagen, was einzelne Soldaten im Eifer des Gefechts anstellen würden. Vielleicht waren solche Befürchtungen unbegründet, vielleicht waren sie zu pessimistisch. Aber die große Mehrheit der israelischen Araber wäre nicht sehr glücklich gewesen, wenn sie die Probe aufs

Exempel hätten machen müssen. (Ziemlich viele Araber – außerhalb Israels – betrachteten den bevorstehenden Tag arabischen Triumphes als einen Tag der allgemeinen Abrechnung. In mohammedanischen Kreisen um Bethlehem, die hier in der Minderheit sind, gab es Gerüchte über Massaker an christlichen Arabern. Hinter der hohlen Hand hieß es: »Zuerst kommen die Samstagsleute, dann die Sonntagsleute dran.« Die Sonntagsleute waren natürlich die christlichen Araber, die Araber selber waren die Freitagsleute.)

Die ersten Nachkriegsbegegnungen zwischen israelischen und jordanischen Arabern des Westufers verliefen nicht allzu glücklich. Als die ersten Jordanier – früher palästinensische Araber – sich nach Israel wagten, waren sie überrascht, so viele Araber lebend anzutreffen und nicht nur lebend, sondern offensichtlich ganz zufrieden. Sie lebten in ihren eigenen kleinen Häusern, hatten gute Arbeitsplätze, schickten ihre Kinder auf ordentliche Schulen, oft besaßen sie solche Schätze wie eine Waschmaschine oder sogar ein Auto und erfreuten sich insgesamt eines höheren Lebensstandards als die jordanischen Araber. Diese waren ein wenig eifersüchtig, verärgert und neidisch. Um diese Gefühle zu lindern, munkelten sie, dies sei der Lohn des Verrats.

Als umgekehrt die israelischen Araber Jordanien besuchten, waren sie von der Rückständigkeit ihrer Vettern schockiert, von ihrer Armut, Unwissenheit und Unfreiheit. »Aber Allah sei Dank, mir geht es gut«, dachten sie und schämten sich ihrer Gedanken. Dank Allah lebten sie unter israelischer Herrschaft.

Man kann es nicht leugnen, daß sich die israelischen Araber ein wenig überlegen fühlten und ihren palästinensischen Brüdern mit Herablassung begegneten. Eine kleine, aber charakteristische Episode: Ich hörte einen israelisch-arabischen Busschaffner erzählen, wie ein jordanischer Araber ihn gebeten hatte, den Bus anzuhalten, weil er aussteigen wollte. (So ist es jedenfalls in Jordanien üblich, wo es keine festen Haltestellen gibt.) Der israelische Araber fuhr ausgesprochen selbstzufrieden und mit einem väterlichen Lächeln fort: »Ich erklärte ihm, daß *wir* das hier anders machen . . .«

Als 1948 die Araber flohen, blieben die arabischen Massen in Israel führerlos zurück. Die arabische Gesellschaft ist ziemlich feudal, und die Führer der Gemeinschaften kamen immer aus den alten und privilegierten Familien. Die meisten arabischen Führer verließen 1948 das Land, und zum erstenmal in der palästinensisch-arabischen Geschichte wurden Männer geringerer Herkunft lediglich wegen ihrer Verdienste Führer. Diese Tatsache verursachte eine weitere Spaltung nach dem Junikrieg. Die Selfmadeführer waren auf ihre Stellung und ihre Erfolge stolz, die alten, feudalen Typen auf der anderen Seite der früheren Grenze betrachteten sie als Parvenüs.

Der Bürgermeister einer israelisch-arabischen Stadt besuchte den Bürgermeister einer kleinen jordanischen Stadt auf dem Westufer. Der israelische Bürgermeister war ein Selfmademan, der seine Stellung durch das Vertrauen seiner Bürger erreicht hatte. Sein Gastgeber hält seine Position aufgrund des Geburtsrechts, war ein Mitglied des Establishments und sogar vor neunzehn Jahren Bürgermeister der Stadt gewesen, aus der sein israelisch-arabischer Gast jetzt kam. Der Westufer-Gentleman war der Vorgänger des israelischen Bürgermeisters und hatte ihn noch als einfachen Dorfbewohner gekannt. Heute empfand er es als Zumutung, daß er genötigt war, ihn als Gleichgestellten zu empfangen. Gleichwohl wurde der israelisch-arabische Bürgermeister mit allen sichtbaren Zeichen der Höflichkeit und Gastfreundschaft empfangen, Kaffee und kalte Getränke wurden gereicht, aber die Unterhaltung war etwas stockend. Dann erzählte der arabische Bürgermeister eine Parabel, die alle Araber so lieben.

»Es war einmal ein Hund, der immer davon träumte, ein Wolf zu werden. Er ging zu Vater Wolf und erzählte ihm seinen Traum. Er sähe aus wie ein Wolf, warum konnte er kein Wolf sein? Vater Wolf antwortete: ›Wenn du ein Wolf sein willst und unter Wölfen leben willst, mußt du dich wie sie benehmen.‹ ›Ja‹, sagte der Hund, ›willst du mir sagen, was ich zu tun habe?‹ ›Vor allem‹, sagte Vater Wolf, ›wenn sich Wölfe begegnen, beriechen sie sich nicht unter dem Schwanz, sondern von Nase zu Nase. Das ist die wichtigste Regel.‹ Der Hund nickte, ging fort und lebte neunzehn Jahre lang sehr glücklich mit den Wölfen. Nach all den Jahren traf er Vater Wolf wieder. Er grüßte Vater Wolf, ging auf ihn zu und begann seine Nase zu beriechen. Aber Vater Wolf sagte: ›Gib dir keine Mühe. Ich weiß, du bist ein Hund. Du kannst mich ruhig . . .‹«

Als er mit der Parabel zu Ende war, senkte sich ein unbehagliches Schweigen über den Raum. Der israelisch-arabische Bürgermeister stand auf, verließ den Raum und knallte die Tür hinter sich zu.

Die Araber des Westufers werden – ohne es selber zu bemerken – zu halben israelischen Arabern. Natürlich ist dies ein langer Weg, und die meisten von ihnen wünschen die jordanische Regierung zurück. Aber einige Araber außerhalb der israelisch besetzten Gebiete fangen an, sie mit Argwohn zu betrachten. Das ist das Schicksal Palästinas. Jede neue Situation, die sich nach jedem Krieg einstellt, ist für die Araber absolut unannehmbar, nach jeder neuen Niederlage sehnen sie sich nach dem vorherigen Status quo, den sie als vollkommen unerträglich bezeichnet hatten. Die Zeitläufe haben viele palästinensische Araber zu israelischen Arabern gemacht und werden viele Araber des Westufers in halbe israelische Araber verwandeln. Währenddessen werden die Vereinten Nationen eine Vollversammlung nach der anderen abhalten.

Die Beduinen – 1948 noch viel nomadisierender als heute – waren immer proisraelischer als die übrigen Araber. Früher beraubten sie viele Israelis, aber es gab dabei nie ein persönliches, geschweige denn antijüdisches Motiv. Sie raubten wegen der Beute. Die Beduinen waren damals sogar für die medizinische Behandlung, die sie in den Kibbuzim erhielten, dankbar, und ein paar kämpften 1948 auf der israelischen Seite.

Ich sah ein paar hundert Beduinen, die sich heute in Dörfern zwischen Haifa und Nazareth niedergelassen hatten, angesehene und gesetzestreue Bürger. Ich besuchte das Haus des früheren Scheichs, er empfing mich mit herzlicher arabischer Gastfreundschaft. Ich hatte meine romantischen Vorstellungen: arme Beduinen, Söhne der großen und unendlichen Wüste, heute gefangen in Backsteinhäusern und gewöhnlichen Dörfern. Wie furchtbar! Aber die Beduinen bemitleideten sich nur halb soviel, sie waren nicht so romantisch wie ich. Dies war eine willkommene Veränderung, stellte der frühere Scheich schlicht fest. In einem Haus zu leben, fügte er hinzu, sei viel bequemer, als mit seinem Zelt von Ort zu Ort zu ziehen. Auch für die Kinder sei es besser, sie könnten die Schule besuchen. Es sei auch sehr angenehm, ein ordentlich möbliertes Haus zu besitzen, einen Kühlschrank und einen an der Wand befestigten Büchsenöffner.

»Aber die Freiheit der Wüste?« fragte ich ihn hoffnungsvoll.

»Ja . . .«, sagte er. »Die Freiheit der Wüste, Sehen Sie, dieses Leben hat seine Vorteile.«

»Lockt es Sie nicht, wieder in der weiten, unendlichen Wüste umherzuschweifen, sich völlig frei zu fühlen?« fragte ich.

»Überhaupt nicht«, antwortete er.

Ein arabischer Freund, der mich begleitete, sagte: »Vor nicht allzu langer Zeit mußte jeder Tropfen Wasser von Frauen geholt werden.«

»Die Männer hätten helfen können«, warf ich ein.

»Seit undenkbaren Zeiten war es die Pflicht der Frauen, Wasser zu holen. Aber darum geht es nicht. Wenn damals ein Gast um ein Glas Wasser bat, bekam er es natürlich, aber es war eine kleine Katastrophe. Heute dreht man den Wasserhahn auf.«

»Gibt es heute noch Stammesfehden?« fragte ich begierig.

»Sie sind begraben«, sagte der Ex-Scheich. »In den Dörfern überleben sie nicht.«

»Aber es gab doch Todfeindschaften«, meinte ich. »Unversöhnliche Blutrache.«

»Man hat sich versöhnt.«

Er lächelte: »Wir waren damals nicht sehr klug.«

Bei Berscheba haben die Beduinen ihren eigenen Duke of Bedford. Er ist ebenso charmant, liebenswert und vermögend wie jener. Für hundert israelische Pfund kann man mit diesem Beduinenscheich in seinem Zelt auf dem Boden hocken und Tee trinken.

Man sagte mir, er wohne gar nicht in dem Zelt. Er arbeite nur dort. Nach den Bürostunden ist sein Nomadendasein zu Ende, und er kehrt in sein komfortables Haus in Berscheba zurück (fließend Heißwasser, WC und Stereo-Anlage mit Lautsprechern in drei Zimmern).

Wenn irgendein Zionist oder Prozionist im Gespräch mit einem Araber behauptet, daß es den Arabern in Israel gutgehe und sie dadurch für viele Dinge entschädigt würden, ist der Araber indigniert, und ich für meinen Teil verstehe diese Indigniertheit. Materieller Wohlstand ist nicht alles. Man frage einen Mann am Gaza-Streifen, ob er bereit wäre, freiwillig seine Freiheit aufzugeben und unter israelischer Herrschaft zu leben, selbst wenn er dort ein Prinzendasein führen könne, er würde jeden solchen Vorschlag voll Zorn und Verachtung zurückweisen. Aber die israelischen Araber, die die Wohltaten eines besseren Lebens tatsächlich genossen haben, denken anders. Es ist genauso wie mit der Freiheit der Wüste. *Ich* wünsche sie den Beduinen, aber die Beduinen selbst wollen sie gar nicht. Vielleicht würden die Araber anders denken, wenn sie den arabischen Befreiungsarmeen und den Motiven der arabischen Führer voll trauen würden. Ich weiß es nicht. Die israelischen Araber sind stolz und ebenso freiheitsliebend und national gesonnen wie jeder andere. Im Augenblick jedoch sind die meisten von ihnen unter dem israelischen Joch anscheinend ganz zufrieden. Abgesehen davon, daß sie nicht zum Wehrdienst einberufen werden (für Kriege, in denen sie auf keinen anderen Feind als ihre eigenen arabischen Landsleute treffen würden), sind sie gleichberechtigte Bürger in einem demokratischen Land, und viele sind sogar aktive Mitglieder der Vereinigten Arbeiterpartei. (Viele andere unterstützen die Kommunistische Partei, die Moskauer Richtung. Sie tun dies, obwohl sie Antikommunisten sind, aber die Kommunistische Partei ist die einzige proarabische Partei, die arabische Nationalisten unterstützen können.) Insgesamt geht es den israelischen Arabern gut. Sie können sich viele ihrer Wünsche erfüllen und ihren Kindern ein viel besseres Leben bieten, als es ihre Vettern auf dem Westufer oder in Jordanien vermögen. Dreitausend

Araber haben jüdische Mädchen geheiratet (obwohl, soweit ich es feststellen konnte, kein einziger Jude ein arabisches Mädchen geheiratet hat). Die israelischen Araber arbeiten schwer, um auf ein Haus, Fernsehgerät, Waschmaschine und ein Auto zu sparen. Mit anderen Worten: Politik rückt für sie immer mehr in den Hintergrund, ihr Hauptziel ist es, wie die Levys zu leben.

Alle israelischen Araber sind nicht das, was sie scheinen. Ich reise mit einer Gruppe israelischer Journalisten auf der Suche nach Lokalkolorit in die Gegend von Berscheba. Einer von ihnen sollte einen Beduinen treffen, der nahe einer kleinen Gaststätte an der Hauptstraße lebte und besonders malerisch aussah, so malerisch tatsächlich, daß diese Eigenschaft sein Job war. Touristen – vorwiegend Amerikaner – fotografierten ihn mit seinem Kamel den ganzen Tag lang gegen eine Gebühr, die von 1 £ 5 bis zu 1 £ 10 reichte. Er machte ein blühendes Geschäft.
Wir fanden den Mann ohne Schwierigkeiten. Es wäre tatsächlich unmöglich gewesen, ihn zu verfehlen. Er sah wild aus, großartig, seine Haut war von der Wüstensonne verbrannt, seine Augen brannten, wenn er einen ansah. In diesem Mann steckten Jahrhunderte des Stolzes, der Weisheit, der Grausamkeit und des Mutes, doch er war ganz greifbar.
Ich hörte ihn mit einem der israelischen Journalisten sprechen. Sie sprachen Hebräisch, aber ich hörte zu. Ein amerikanisches Touristenpaar unterbrach uns, die Frau wollte zusammen mit dem Beduinen vor dem Kamel

fotografiert werden, sie zahlten ungefähr DM 11,–. Das Interview ging weiter.

Schließlich unterbrach ich auf englisch.

»Ihr Akzent«, sagte ich.

»Was ist mit meinem Akzent?« fragte er mich hochmütig. Hundert Wüstensonnen brannten in seinen Augen.

»Ihr Akzent ist nicht beduinisch«, sagte ich ihm.

»Vielleicht haben Sie recht.«

»Sie haben einen ungarischen Akzent.«

»Vielleicht.«

»Wie heißen Sie?«

»Zoltan Steiner.«

»Zoltan Steiner«, wiederholte ich und ließ den Namen auf der Zunge zergehen. »Nun sagen Sie schon: Zoltan Steiner ist kein Beduinenname. Wenigstens kein normaler beduinischer Name.«

»Nein. Es ist durchaus kein beduinischer Name.«

»Warum ziehen Sie sich dann wie ein Beduine an?«

Er sah mich an, und jetzt brannten nur noch fünfzig Wüstensonnen in seinen Augen.

»Es ist mein Beruf, Beduine zu sein. Ärzte tragen eine Berufskleidung, Chirurgen und Krankenschwestern auch, Soldaten, Polizisten und Bergarbeiter ziehen sich für ihren Beruf um, Nonnen und Rabbiner natürlich auch, warum dann nicht ein Beduine?«

Eins zu null für ihn.

»Los, Mr. Steiner. Erzählen Sie mir, wie aus einem ungarischen Juden ein professioneller Beduine bei Berscheba wurde?«

Er erzählte es mir. Es war eine wahre Geschichte. Er trieb sich in Berscheba herum, keine Arbeit, keinen Pfennig, nichts. Er bemerkte, daß ein Beduine – ein echter Wüstensohn – sich von den amerikanischen Touristen fotografieren ließ und ein tolles Geschäft dabei machte. Eines Tages entschloß sich der Stamm – noch halb nomadisch – weiterzuziehen. Der Beduine, der sich seinen Lebensunterhalt als Fotomodell verdiente, wehrte sich gegen die Entscheidung mit Händen und Füßen, ihm ging es gut. Aber dem Rest des Stammes ging es schlecht. Und was kann ein Mann allein gegen alle ausrichten? Es war natürlich undenkbar, daß er bleiben würde, während die anderen weiterzogen, kein Beduine würde sich von seinem Stamm trennen. Deshalb zog er mit den anderen.

»An diesem Tag«, fuhr Steiner fort, »ging ich auf den Markt von Berscheba und kaufte mir Beduinenkleider. Sie waren nicht billig, weil ich malerisch aussehen mußte, aber ich bekam Kredit. Ich kaufte mir auch ein Kamel auf Raten. Aber es ist heute alles abbezahlt. Um Mittag herum am gleichen Tag, als die anderen fortzogen, war ich schon da. Ich habe es nie bereut.«

Er sah auf seine Armbanduhr.

»Haben Sie es eilig?« fragte ich.

»Noch nicht. Ich schließe um halb sechs, wenn Saison ist halb acht!«

»Was machen Sie dann?«

»Ich gehe heim, bade und, well . . . dies und das. Normalerweise höre ich Stereo. Am liebsten Mozart. Besonders den jungen Mozart, nicht den späteren. Ich bin ein ungewöhnlicher Mensch.«

Das konnte ich nicht abstreiten.

»Sind Sie glücklich und zufrieden?« fragte ich ihn.

Er sah mich an. Diesmal merkte ich, daß das dunkle Glühen in seinen wilden Augen der Widerschein der Lichter von hundert mitteleuropäischen Cafés war.

»Ja, ich bin glücklich und zufrieden«, sagte er ruhig, »mit einer Ausnahme.«

»Und die wäre?«

»Ich habe immer noch Angst vor diesem verdammten Kamel.«

Kibbuz Hilton

Wir fuhren in den Kibbuz und gingen zur Rezeption. Hier die üblichen Schilder: DINERS CLUB CARDS ACCEPTED HERE und AMERICAN EXPRESS TRAVELLERS CHEQUES WELCOME. Wir trugen uns ein, und unser Gepäck wurde von einer Art Page in unser Zimmer gebracht. Das Zimmer besaß Dusche und Klimaanlage. Später gingen wir in den Speisesaal, voll mit amerikanischen Touristen, denselben Leuten, die man in allen Hiltons auf der Welt sehen kann. Ungewöhnlich war nur, daß sich die Amerikaner hier höchst leger angezogen hatten – Polohemden, Bermudashorts. Man war ja immerhin in einem Kibbuz. Der Speisesaal des eigentlichen Kibbuz – im Unterschied zum Speisesaal des Hotels – war weit entfernt und hatte mit diesem Platz nichts zu tun. Die Kibbuzniks hielten Distanz und lebten und aßen wie in jedem anderen Kibbuz auch.

»Nur der Barmann, der Empfangschef und der Leiter des Restaurants sind Mitglieder des Kibbuz«, informierte mich jemand. »Die Kellnerinnen sind Angestellte, weil die Kibbuzniks sich weigern, andere Menschen zu bedienen.«

Wie ich später erfuhr, stimmte das nicht. Der Leiter des Restaurants, ein Kibbuznik, gleichzeitig Oberst in der

Armee, ging, als der Kaffee gereicht wurde, von Tisch zu Tisch, machte eine (nur angedeutete) Verbeugung und sagte: »Ich hoffe, es hat Ihnen geschmeckt.«

Ich erinnerte mich an die Kibbuzim, die ich vor zwanzig Jahren gesehen hatte, ich dachte an ihre Anstrengungen, ihre Armut, ihre Einfachheit und freute mich, daß es ihnen jetzt so gut ging. Natürlich drängt sich gleichzeitig die Frage auf: Ist durch diesen Fortschritt etwas verlorengegangen? Heute betreiben sie alle irgendeine Industrie – hier ist es ein Hotel, andere produzieren Landwirtschaftsausrüstungen, dort fertigt man Werkzeugmaschinen, Elektroartikel und andere Produkte, und die meisten führen ein zivilisiertes und komfortables Leben. Dieser Platz hier ist vielleicht reicher als der kleine englische Kibbuz, den ein Freund von mir vor einigen Tagen besucht hatte. Dort trinkt jeder Punkt vier Uhr nachmittags seinen Tee und spielt am Samstag Kricket. Ein Porträt der Queen hängt an der Wand. Mein Freund fragte einen der Kibbuzniks, ob sie alle Engländer seien oder ob es noch einige andere Nationalitäten gäbe? Der junge Engländer war überrascht und schüttelte seinen Kopf: »Oh no. Hier gibt es keine Ausländer.« Mein Freund erwartete, daß er hinzufügte: »Und natürlich auch keine Juden.«

Hier im Kibbuz Hilton machte ich gegenüber dem Oberst einige Bemerkungen über ihre Wohlhabenheit. Er lächelte.

»Es tut mir ja sehr leid, daß wir nicht in Lumpen herumlaufen. Die Leute verübeln uns das. Für sie sollen wir zerlumpte Pioniere sein, und jetzt sind sie enttäuscht. Wir überlegen, ob wir für unsere Jungs, die im Hotel arbeiten, zerlumptes Zeug anschaffen, damit unsere Gäste auf ihre Kosten kommen.«

Ich sagte ihm, mich störe nicht so sehr das Fehlen zerlumpter Kleidung – obwohl diese immer recht malerisch aussieht –, sondern ich sei überrascht, daß sie Leute von außerhalb des Kibbuz beschäftigten, weil die Bedienung anderer Menschen selber unter ihrer Würde sei.

»Es stimmt, daß die Arbeit mit angeworbenen Arbeitskräften allen Kibbuzprinzipien widerspricht. Es stimmt aber auch, daß wir trotzdem Mädchen aus dem benachbarten Dorf einstellen, die hier gut verdienen. Aber es ist völlig unwahr, daß wir die Bedienung anderer als unter unserer Würde betrachten. Wir würden von anderen Leuten keine Arbeit verlangen, die wir nicht auch selbst täten. Aber wir haben für die Arbeit im Hotel und im Kibbuz einfach nicht genug Mitglieder. Schließlich kommt die Arbeit im Kibbuz – Landwirtschaft und Baumwolle – zuerst. Das Hotel ist ein einträglicher und wichtiger Nebenbetrieb, aber eben nur ein Nebenbetrieb. Wir werden eines Tages eine Menge neuer Häuser gebaut haben, dann werden die Mitglieder in den Restaurants servieren oder vielleicht andersherum: Kellnerinnen von draußen – jedenfalls die, die es wollen – werden als Mitglieder aufgenommen.«

Die Idee von der gegenseitigen Hilfe ist immer noch das vorherrschende Prinzip des Kibbuzlebens. Begabte Söhne von Mitgliedern werden auf die Universität geschickt, aber wenn sie zurückkehren, müssen sie die gewöhnlichen Arbeiten verrichten. Ein Promovierter kann Geschäftsführer werden, er wird aber dennoch zum Abspülen oder Servieren im allgemeinen Speiseraum des Kibbuz an die Reihe kommen. Ich sah einen hervorragenden Kampfflieger mit einer außerordentlichen Abschußliste im Sechs-Tage-Krieg in der Küche Kartoffeln schälen. Die Vorstellung, daß dieser Job unter seiner Würde sei, war ihm offensichtlich nie gekommen. Ein früherer Kibbuzpräsident arbeitete sehr glücklich im Obstgarten, er war froh, eine Position losgeworden zu sein, bei der er viel Verantwortung zu tragen hatte und immer hinter dem Schreibtisch sitzen mußte. Manche Mitglieder übernehmen Regierungsämter, bleiben aber Kibbuzmitglieder. Wenn ihr Ministerdasein beendet ist, kehren sie zum Kibbuz zurück und misten Ställe aus oder melken. Auf solche Mitglieder werden die Touristen jedoch immer aufmerksam gemacht: »Da sehen Sie, wie ein ehemaliger Minister Kühe melkt.«

Ich traf einen sympathischen, kultivierten und bescheidenen, fast scheuen Mann, der gutes Englisch mit einem leichten mitteleuropäischen Akzent sprach. Ich tippte auf Deutsch, es hätte aber auch Polnisch sein können. Er war ein Mann in den mittleren Jahren und hatte den größten Teil seines Erwachsenendaseins im Kibbuz verbracht. »Ich komme aus England«, sagte er, »ich bin britischer Untertan. Ich ging dort zur Schule, und alle meine Verwandten leben dort. Lassen wir es damit bewenden.« Ich fragte ihn natürlich nicht weiter über seine Herkunft aus, ich hatte das Gefühl, daß er aus guten Gründen versucht, seine mitteleuropäische Vergangenheit zu vergessen. Er hieß Alex und blieb während meines Aufenthaltes mein ständiger Begleiter. Ich fragte ihn nach der heutigen Stellung des Kibbuz. Waren sie in erster Linie militärische Außenposten? Strategische Befestigungsanlagen? Er schüttelte den Kopf.

»Nein. Sie haben ihre militärische Bedeutung. Es stimmt auch, daß die Kibbuzim eine wichtige Rolle im Krieg spielten. Es gibt viele Piloten und Panzerkommandeure unter uns. Ob Sie es mir glauben oder nicht, der Kibbuz ist immer noch eine landwirtschaftliche Siedlung und in erster Linie für die Landwirtschaft da.«

Ich fragte ihn, wie es dieser besonderen, der syrischen Grenze sehr nahen Siedlung während des Krieges gegangen sei, da sie in Reichweite der syrischen Artillerie lag.

»Wir hatten viel Glück. Wir hatten Tonnen von Grünfutter aufgehäuft; eine der ersten syrischen Granaten war ein Volltreffer. Das Futter fing Feuer und brannte lange wie irre, eine riesige schwarze Rauchsäule stand für Stunden über der Siedlung. Die Syrer mußten denken, sie hätten ein Munitionsdepot getroffen und uns alle in die Luft gesprengt. Der Rauch verhinderte jede Beobachtung. Sie stellten die Beschießung ein, und wir hatten Ruhe.«

Das klang alles recht einfach. Ich erzählte, daß ich viele Geschichten über die Heldenhaftigkeit der Kibbuzniks gehört hätte.

»Heldentum?« feixte er. »Ich glaube nicht, daß dies das rechte Wort ist. Die Wahrheit ist, daß wir nicht zurückgehen können. Rückzug ist der einzige Luxus, den sich selbst die neuen und wohlhabenden Kibbuzim nicht leisten können. Die Russen gewannen größere Kriege mit ihrer Rückzugtaktik und der Politik der verbrannten Erde. Kutusow wäre in Israel ein sehr unbedeutender General. Man kann ein Territorium aufgeben, aber nicht seine Heimat, man kann nicht die Arbeit seines ganzen Lebens verbrennen. Ja, unser Kibbuz ist unser Leben. Wenn wir unser Leben hergeben müssen, gut, dann heißt das, wir müssen für die Verteidigung des Kibbuz sterben. Das hat nichts mit Heldentum zu tun, das ist gesunder Menschenverstand.«

Er sprach über alles – Krieg, Frieden, Leben, Tod – ruhig und ohne große Worte. Er gefiel mir, und ich bewunderte seinen Charakter, aber er schien mir völlig ohne Emotionen zu sein. Ich irrte mich. Es gab ein Thema, das ihn sehr bewegte. Sobald das Thema angeschnitten war, wurde er lyrisch, gefühlvoll, erregt, seine Augen leuchteten, seine Stimme wurde warm. Sein Thema waren Ersatzteile.

Anfangs erwähnte er es beiläufig. Ich fragte ihn nach seinem Job, und er antwortete: »Ich kümmere mich um Ersatzteile«, und sprach weiter über andere Dinge.

Später zeigte er mir in seinem sauberen kleinen Haus Zeichnungen seines Sohnes. Sehr gute Zeichnungen für einen Amateur. Ich fragte ihn, ob er selbst ein Hobby hätte.

»Mein Hobby ist meine Arbeit«, antwortete er schlicht.

»Ersatzteile?« fragte ich.

Er nickte.

Die Landwirtschaft in diesem Kibbuz ist ebenso mechanisiert wie auf einer amerikanischen Farm. Viele Besucher aus den USA stellten dies mit Bewunderung fest. Alex hatte gemerkt, daß die Beschaffung von Ersatzteilen aus dem Ausland viel Zeit kostete. Er überredete das Kibbuzkomitee, für alle Notfälle ein Ersatzteillager anzulegen. Sein Plan erforderte eine hohe Investition, deshalb zögerte das Komitee zunächst. Aber Alex war hartnäckig und seine Begeisterung so ansteckend, daß das Komitee schließlich zustimmte und ihn mit der Betreuung des Ersatzteillagers beauftragte. Der Plan erwies sich als enormer Erfolg. Viele andere Kibbuzim haben ihn seitdem kopiert. Jährlich werden Tausende von Arbeitsstunden gespart, und heute lagern seine Ersatzteile in einem großen Extragebäude.

»Würden Sie gern meine Ersatzteile sehen?«

Eine Weigerung war natürlich unmöglich, und ich stimmte zu. Wir gingen zu dem Gebäude und verbrachten dort gut eine Stunde, besichtigten Zahnräder, Nägel, Schrauben, Dynamos aller Stärken und Größen und andere Ersatzteile. Ich erinnerte mich an einige Engländer, die mich durch ihren Gemüsegarten geführt hatten, sie glühten vor Stolz über ihren Blumenkohl und ihre Kürbisse, nicht viel anders war es bei Alex mit seinen Zahnrädern und Dübeln. Nirgendwo sonst war ich dem gleichen rührenden Stolz, liebevoller Sorgfalt und Hingabe gegenüber den Dingen begegnet, ohne jede Einbildung und ohne jeden Snobismus.

»Ich fuhr 1960 ins Ausland. Der Kibbuz gab mir das

Geld und bezahlte alles. Ich fuhr nach Birmingham, um meine Verwandten zu besuchen.«

Dann fügte er hinzu: »Sie zahlten mir die ganze Reise.« Ich sollte ja nicht denken, daß er nur eine einfache Fahrt erhalten hätte.

»Bei uns reist jeder. Alle Jugendlichen im Kibbuz bekommen eine Reise. Ich bin – ich glaube es jedenfalls – 1970 wieder dran.«

»Hören Sie, Alex«, sagte ich ihm, »wenn Sie mit Ersatzteilen handelten, und wäre es auch nur halb so erfolgreich wie Ihre Arbeit für den Kibbuz, könnten Sie sich jedes Jahr Weltreisen leisten, nicht solche armseligen kleinen Reisen alle zehn Jahre.«

»Das stimmt«, sagte er mit der Miene eines Mannes, der darüber schon häufig nachgedacht hatte.

»Well, kein Bedauern?«

Er fragte nicht, was er bedauern sollte. Er wußte es. Er schwieg, aber ich bohrte weiter: »Kein Bedauern darüber, ein Mönch in Israel geworden zu sein?«

»Eines Tages«, sagte er, »brach unser Generator zusammen. Der Fehler lag in einem kleinen Teil eines besonderen Umwandlers, der aus den USA kam. Bevor ich mein Ersatzteillager hatte, würde ein solcher Zusammenbruch einen völligen Stillstand der elektrisch angetriebenen Maschinen – und unserer Beleuchtung – für mindestens drei Wochen bedeuten. So wie die Dinge lagen, mit den Ersatzteilen zur Hand, dauerte der Stromausfall 17 Minuten.«

»Meinen Glückwunsch. Aber ich fragte, ob Sie es bedauern?«

»Die Antwort lautet nein. Ich habe keinen persönlichen Besitz. Vielleicht sind wir die Mönche Israels. Aber geht es uns wirklich so viel schlechter als den Städtern? Wir haben kein Geld, aber sie müssen für alles bezahlen. Wir bekommen alles, was wir brauchen, umsonst. Wir haben keine Sorgen, zumindest keine finanziellen. Und wie Sie sehen, hat sich unser Lebensstandard beträchtlich verbessert. Früher lebten wir in ärmlichen Zellen als Mönche, aber mein Haus hier ist ganz hübsch, richtige Mittelklasse. Wir sind wie Städter gekleidet, tragen oft Schlipse, ein Kleidungsstück, das vor zwanzig Jahren in Israel noch völlig unbekannt war. Das ganze Kibbuzsystem lockert sich. Die Kinder können mit ihren Eltern viel häufiger als früher zusammen sein. Mein Sohn wohnte bei uns – meine Frau ist im Augenblick fort –, bis er zur Armee ging. Man hatte früher etwas gegen private Radios, es sollte für alle nur ein gemeinsames Radio geben. Heute haben wir alle unsere eigenen Radiogeräte, und sicher werden wir auch bald unsere eigenen Fernseher haben. Wir leben so normal wie die Leute in der Stadt. Immer mehr unserer Kinder studieren, genau wie andere junge Leute draußen.«

»Kommen sie hinterher zurück?«

»Manche nicht, die meisten schon. Sie mögen dieses Leben, sie sind es von Kindheit an gewohnt. Wir haben unser geselliges Leben. Unsere Clubs, wo alles frei ist, man bittet um ein Sandwich oder um ein Getränk und bekommt es. Alkoholische Getränke müssen wir von unserem Taschengeld bezahlen, aber wer trinkt schon? Sie wissen, daß dies ein schweres Vergehen bei den Juden ist, sie trinken nicht. Vielleicht ein paar Bier, mehr nicht.«

Für ihn war es wichtig, daß die Kibbuzgemeinschaft normal war.

»Früher war es unerhört, ein Zimmer oder ein Haus abzuschließen. Man ging davon aus, daß es unter uns keine Diebe gäbe. Aber in Wirklichkeit hatten wir Diebe. Kleine Diebe, aber immerhin verschwanden einige Dinge. Also sperren wir jetzt ab.«

Er sagte das mit einiger Befriedigung. Er war auf die Diebe des Kibbuz stolz. Vielleicht wäre bewaffneter Raubüberfall noch besser, aber man soll mit dem zufrieden sein, was man hat. Aber ein paar kleine Diebe machten den Kibbuz weniger tugendhaft und menschlicher. Diebe waren normal.

»Ich weiß, Sie fragten, ob ich irgend etwas bedauern würde. Ich habe viel darüber nachgedacht, aber ich bin mir inzwischen ganz sicher, ich habe nichts zu bedauern. Vielleicht habe ich irgendein Vergnügen verpaßt. Wennschon? Der Kibbuz ist kein Platz für einen ehrgeizigen Mann. Der Kibbuz als Kibbuz ist sehr ehrgeizig und wie Sie sehen sehr erfolgreich. Unsere Gesellschaft ist gesünder als die Wettbewerbs- und Konsumgesellschaft draußen. Das Hauptanliegen der Leute draußen ist: Was kann man kriegen. Hier: Was kann man geben. Eigentlich kein schlechtes Leben. Es hat gewisse Härten und verlangt Opfer, aber es hat auch seine Vorteile.«

»Ich verstehe«, sagte ich und ich verstand wirklich.

»Eine nützliche Arbeit gut erledigen, etwas, daß es wert

ist – manchmal sogar etwas Großartiges –, mitaufzubauen, kann den Ehrgeiz eines Mannes schon voll befriedigen.«

Er sagte dies schlicht, und es klang echt und überzeugend, aber ich hatte doch noch das Gefühl, daß er ein wenig schönfärbte.

»Ich war Teil eines Ganzen«, sagte er stolz.

»Nicht nur ein Teil«, sagte ich, »ein Ersatzteil.«

Er lächelte und sah noch stolzer aus.

Sabras?

Das Wort *Sabra* hat seine Bedeutung zweimal geändert. Ursprünglich war es der Name einer kleinen, stacheligen, säuerlichen Frucht, dann stand es für einen in Israel geborenen Jugendlichen. Vor zwanzig Jahren war ein Sabra gewissermaßen eine Rarität in diesem Land der Einwanderer, heute sind tatsächlich über die Hälfte der Menschen in Israel geboren. Deshalb hat das Wort seine Bedeutung noch einmal geändert. Der Sabra sollte traditionsgemäß unabhängig, aggressiv, unsentimental sein – unjüdisch, in der Tat stachelig und säuerlich. Viele Sabras sind so, aber auch ebenso viele Einwanderer. Andererseits sind die sechs oder sieben Kinder einer marokkanischen Familie, die tatsächlich in Israel geboren, aber in der altmodischen orientalischen Tradition erzogen wurden, vom Sabra so weit entfernt wie der Koran von Mosche Dayan.

Es gibt heute weniger Leute als vor zwanzig Jahren, die einem mit Stolz in den Augen erzählen, daß ihre Kinder Sabras seien. Das Wort ist abgewertet worden, aber Sabra-Geist ist heute in Israel nötiger als die Selbstironie, die Weisheit, das Verständnis, das Selbstmitleid und der selbstkritische Humor des Gettojuden, den der Sabra verachtet.

Der Sabra ist ein jüdischer Nationalist und oft ein Anti-zionist.

Der Sabra läßt sich von seinen sogenannten Wohltätern – den reichen Juden Amerikas und anderer Länder der Diaspora – nicht beeindrucken und zweifelt an ihren Motiven. Als während des Sechs-Tage-Krieges Freiwillige aus aller Welt nach Israel zu kommen versuchten, sagten die Sabras: »Wir brauchen sie nicht. Außerdem wollen die nur Ferien umsonst machen.« Als sie von den vielen Mädchen hörten, die sich meldeten, fügten sie hinzu: »Die wollen sich nur einen Mann angeln.« Als sie hörten, daß der Vatikan den Juden vergeben hatte, bzw. sie für die Kreuzigung nicht mehr verantwortlich machte, fragten sie: »Und wer wird die Päpste und den Vatikan für eine zweitausend Jahre währende Verfolgung freisprechen?«

Sie rebellieren gegen die Autorität, sind aber nicht militant. Der Sechs-Tage-Krieg war für sie kein Spaß. Der Krieg und der Sieg über diese törichten Araber war eine unangenehme Pflicht, ein reiner Zeitverlust. Aber es mußte hin und wieder getan werden, und sie sind für die nächste Runde bereit, aber ohne jede Begeisterung für diese Aufgabe.

Überall in der Welt gibt es Studentendemonstrationen der Gewalt, aber nicht in Israel. Die zähe, aggressive Jugend Israels hält sich von Demonstrationen fern, sie wollen keine »Studenten-Macht« und wollen die Gesellschaft nicht reformieren. Israel hat keinen Cohn-Bendit und keinen Tariq Ali. Die israelische Jugend hat etwas gegen diese Leute, und diese wiederum hassen den jüdischen Nationalismus. Die israelische Jugend übersieht oder würdigt es zumindest nicht, daß viele dieser Studentenführer den französischen, englischen und deutschen Nationalismus ebenso hassen und daß sie deshalb großherziger und humaner sind als die engstirnigen Nationalisten. Vielleicht wissen sie das alles, sind aber der Meinung, daß der Internationalismus für Israel ein Luxus ist, den es sich nicht leisten kann. Auf jeden Fall gibt es zwei Hauptgründe dafür, daß in Israel keine Studentenunruhen auftreten. Erstens ist das Studium in Israel sehr teuer, und wer es geschafft hat, ist ein gemachter Mann. Ein Student ist von seinen Eltern abhängig, die in der Regel große Opfer für ihn bringen müssen. Ein Mann mit einem Hochschulabschluß kann mit einem guten Job rechnen, mit Unabhängigkeit und gesellschaftlichem Ansehen. Deshalb hält es die israelische Jugend für wichtig, sich in erster Linie auf das Studium zu konzentrieren und die Reform der Gesellschaft, sollte sie notwendig sein, nach dem Abschluß zu versuchen. Das Studentendasein ist wenig romantisch. Der zweite Grund jedoch ist noch wichtiger. Diese jungen Leute sind nicht gegen das Establishment. Das heißt nicht, daß sie jeden Aspekt der Regierungspolitik begeistert unterstützen, aber sie unterstützen sie in ihren wesentlichen Punkten, und sie wollen auch Israel vor den Arabern verteidigen. Was bleibt ihnen da noch übrig? Da es keine grundlegenden Meinungsverschiedenheiten gibt, wären Protestmärsche und revolutionäre Handlungen witzlos. Demzufolge widmen sich die jungen Israelis dem Studium. Ihre aggressiven Instinkte und überschüssige Energie können durch den Militärdienst und die immerwährenden Kriege abgebaut werden.

Der Sabra ist auch mit den Juden der Diaspora überhaupt nicht einverstanden. Wenn jemand Jude ist, dann soll er nach Israel kommen, kommt er nicht, ist er kein Jude. Er hat eine israelozentrische Weltanschauung und sieht die Welt durch eine israelische Brille. Er weiß natürlich, daß es dumm wäre anzunehmen, die Welt hätte nur ein einziges Problem, also gesteht er ihr zwei zu, das Problem Israel gegen die Araber und das Problem der Juden Israels gegen die Juden in der Diaspora.

Es hat schon immer Generationenkonflikte gegeben, aber in zwei Ländern unserer modernen Welt stehen sich zwei Generationen mit mehr als der üblichen Feindschaft, mangelndem Verständnis und Argwohn gegenüber: Deutschland und Israel.

Junge Deutsche fragten ihre Eltern: Wie konntet ihr das tun? Junge Israelis fragten ihre Eltern: Wie konntet ihr das hinnehmen?

Es bestand in beiden Ländern eine anscheinend schwer überwindbare Kluft. Es geht hier nicht um Deutschland. In Israel gab es den Eichmann-Prozeß, der die Atmospäre reinigte. Bis dahin hatten die Sabras die bekannte, primitive, kriegerische Haltung: Warum haben sich unsere Väter nicht gewehrt, zurückgeschossen, und warum sind sie nicht kämpfend gestorben? Für sie war die Nazizeit keine Zeit des Leidens und Märtyrertums, sondern eine Ära der Schande. Die Eltern weigerten sich, über dieses Thema zu diskutieren. Ihnen hatte es gereicht, diese Zeit zu durchleben, man konnte niemals vergessen, aber man konnte und sollte darüber schweigen. Der Eichmann-Prozeß rollte die Tragödie in ihrer ganzen Schrecklichkeit noch einmal auf. Er zeigte, daß die Juden gegenüber den bewaffneten Unterdrückern und der Macht des Staates hilflos waren, daß sie aber, wo immer die Situation Widerstand erlaubte (auch wenn sie so hoffnungslos war wie im Warschauer Getto), kämpfend starben. Sie erfuhren auch – und das beeindruckte sie am meisten –, daß die Welt damals dabeistand und dem Massaker von Millionen Unschuldiger zusah und hinterher von nichts gewußt haben wollte. Ihre eigene Erfahrung im Juni 1967 entschied alles. Sie merkten plötzlich, daß es wieder passieren könnte. Sogar die Überlebenden der Massenvernichtung könnten getötet werden. Wie hätten die jungen Helden von 1967 anstelle ihrer Väter in den vierziger Jahren gehandelt? Sie wären auch getötet worden – waffentragend, sicherlich –, und die Welt hätte wieder zugesehen. Sie lernten die Tatsache akzeptieren, daß der Massenmord der Nazizeit eine jüdische Tragödie war und keine Zeit jüdischer Schande.

Der Eichmann-Prozeß lehrte sie auch, daß man über das Unaussprechliche reden konnte, daß Diskussion klärend wirkt, daß die Opfer und sogar ihre Mörder menschlich waren. Es wurde ihnen klar, daß die Zeit der Eichmanns für Deutschland eine Ära der Schande war und nicht für die Juden. Am wichtigsten war, daß der Prozeß, zusammen mit dem Krieg, beiden Generationen eine wichtige Lektion erteilte: Die Alten empfanden nach dem Krieg, daß auch sie, hätten sie die Chance und die Waffen gehabt, hätten Helden sein können. Und die Sabras erkannten, als sie das Mord- und Rachegeschrei der großen arabischen Armeen an ihren Grenzen hörten, während die Welt Tränen vergoß, aber nichts unternahm, daß auch sie Opfer sein könnten.

Der Kreis hat sich geschlossen. Der Sabra ist eine neue Spezies, ein andersgeartetes Wesen als sein in Europa gebürtiger Vater, er lebt in einem Staat, der in Landwirtschaft und Krieg Hervorragendes leistet, in Kunst und Literatur Mittelmäßiges hervorbringt, ein armseliges Handels- und Bankwesen besitzt und ständig von Devisenschwierigkeiten geplagt wird.

Ein israelisches Ehepaar nahm seinen elfjährigen Sabra-Sohn auf eine Europareise mit. In Italien fragte er: »Sind diese Leute Juden?«

»Nein«, sagte der Vater, »sie sind Christen.«

In Frankreich fragte er wieder: »Sind *diese* Leute Juden?«

»Nein, sie sind Christen.«

Der Junge stellte dieselbe Frage in Holland, Dänemark und Schweden und bekam überall die gleiche Antwort. Er rief voller Anteilnahme aus:

»Was für ein schreckliches Schicksal! Es muß für die armen Christen furchtbar sein, so zerstreut auf der ganzen Welt zu leben.«

George Mikes

Mit Geishas fängt der Tag gut an

Im Lande des aufgehenden Yen.
244 Seiten, Zeichnungen, Leinen

»Ein Buch, das von treffsicheren Formulierungen,
scharfen Beobachtungen und launigen Arabesken nur
so strotzt und zudem eine wertvolle Einführung in
japanische Alltagssitten bedeutet.«
Welt der Literatur, Hamburg

»›Mit Geishas fängt der Tag gut an‹ gehört zu den
wenigen Büchern, die nachdenklich stimmen und zugleich
erheitern, die man leicht liest, weil sie direkt beobachten.
Es macht bewußt, wie rar die Kunst geworden ist,
unsere Welt und unsere Zeit mit überlegenem Humor zu
analysieren, wie sehr es an Autoren fehlt, die amüsant-
satirisch schreiben, ohne zu verletzen.«
Rheinische Post, Düsseldorf

Econ Verlag GmbH · Düsseldorf · Wien

George Mikes

Nimm das Leben nicht so ernst

Humorvolle Betrachtungen für humorlose Zeiten.
196 Seiten, Leinen

George Mikes, ein praktizierender Humorist, publiziert
hier seine Gedanken, Erfahrungen und Beobachtungen
und führt uns mit Beispielen aller Art durch die viel-
schichtige Landschaft des Humors. Sein überaus gescheites
Buch ist ein Schlüssel zur fast verlorengegangenen
Kunstform, sich selbst zu ironisieren, sich und die eigenen
Probleme in den richtigen Proportionen zu sehen, mit
der oft bedrückenden Umwelt fertig zu werden.

Econ Verlag GmbH · Düsseldorf · Wien